新時代LX

持続可能な地域の未来を切り拓く

はじめに ― 77年周期の「新時代」幕開けを共に

残念ながら最近、すっかり影が薄くなっている感がありますが、我が国は2015年（平成27年）を「地方創生元年」と位置づけ、人口の一極集中の解消を目指しているところです。それから早くも6年以上経過しましたが、依然、地方から都会への人口の流出はとどまる気配がありません。有効な解決策が見つからないなか2020年に入り、世界中が新型コロナウイルスのパンデミックに見舞われました。感染は人口が集中する都市部において深刻で、日本においても東京を中心に感染爆発が起こりました。人口が密集する都市部は感染に対して脆弱《ぜいじゃく》であり、人口の一極集中が極めて大きなリスクであることが露呈したのです。

歴史的に見ると同様の傾向は約100年前に猛威を振るったスペイン風邪の流行（1918年～19年）においても認められていました。しかしながら、その後も人口の一極集中はとどまることなく、再び今回のコロナ禍に突入したのです。

実はこのスペイン風邪が流行する前の1859年に、生物学者ダーウィンは「種の起源」の中で、「一つの種が、高度に好適な環境のために、せまい場所で異常にふえると、しばしば伝染病が（中略）発生する」と述べていました。つまりこの100年の間に、ダーウィンの予言が一度ならず二度までも的中したことになります。

感染症との闘いに負けるわけにはいきませんが、まずはそのリスクを低下させる上でも、一極集中の解消を急ぎ、新たなポストコロナの生活をデザインしなければなりません。その新たな生活様式を従来の延長線上ではなく、これまでとはまったく異なる「変革」に基づいて描き直すのが、来年２０２２年になるでしょう。

変革元年に当たる２０２２年は、第２次大戦での敗戦、そして戦後復興への号砲が鳴ってから77年目に当たります。注目すべきはその戦後復興のさらに77年前に、我が国は明治維新を迎えていたことです。近現代の日本が新しい制度づくりに成功したこの２回の歴史的な変革が77年周期で起こるとすると、必然的に２０２２年から新たな国づくりが始まることを予見させます。

これまでの上辺だけの「地方創生」の議論から、変革という名に相応しい一極集中の是正による新たな国づくりが始まることを大いに期待したいところです。

そのためには、もう一度原点に立ち返り、地方の魅力を磨き、これまでは都市部に流出していた若い世代に、地方の魅力をしっかりと訴求できる「まち」づくりを展開すること、そしてそこで確実に「可能性の平等」が担保できる「ひと」づくりを進めていくことが必要です。さらに育成された有為な人材が夢と希望に満ちた「しごと」を創出していくことも重要です。求められる「まち・ひと・しごと」の好循環をどのように生み出していくか、これこそが本書の目的とする「地域の変革：LX（ローカル・トランスフォーメーション）」です。

本書では、77年に及ぶ戦後復興から、次の『新時代』を切り拓いていくLXの実践を、自治体関係者や、まちづくりに関心のあるすべてのみなさまにご紹介していきます。その内容を通じて、津々浦々からLXのうねりを起こしていく一助にしていただくことを心から期待しています。

LXによる新時代を切り拓く主役は「あなた」です。

新時代LX 持続可能な地域の未来を切り拓く／もくじ

第1章
ローカル・トランスフォーメーション（LX）とは何か？

海外では、経済が沈滞化するモデルを「日本化（ジャパニフィケーション）」と表現しています。何とも嫌な表現です。高齢化が急速に進み、人口も減少することで、国の経済が沈滞化してしまう先行事例、ということのようです。

確かに、大都市圏以外のいわゆる「地方」は、国内においても、その「日本化」の典型的な地域であり、どちらかと言うと日本のほとんどの地域がその該当地域と言えるのではないでしょうか。

それでは、「日本化」した「地方」はすべて経済的に衰退しているのでしょうか？いいえ、そんなことはありません。「日本化」した「地方」でも、経済が飛躍的に成長したところはあるんです。意外かもしれませんが、その注目すべき「地方」が「高知県」なのです。

「本当？」という声が聞こえてきそうですが、簡単に数字に基づきその実態を紹介します。まずご紹介したいのが、県民所得です。平成18年との比較で平成30年は20・0％の伸びです。全国の伸びが12・5％であったことから、この伸び率は全国を大きく上回っています。その背景にある、労働生産性を見てみましょう。労働生産性は、県内総生産額を就業者数で割った値です。簡単に言うと、一人が生み出した付加価値額と捉えることができます。全国の伸びが同じ時期に3.8％であったのに対して、高知県では何と16・2％も増加しているのです。

この成長は目を見張るものがあります。本編で詳しく触れますが、この数字にはさまざまな産業の寄与があります。特に、食品分野や観光分野などの寄与は顕著です。平成20年から令和元年の推移として、食料品出荷額は32％増、観光総消費額は41％増、そして県外観光客入込数は44％増を示し、ほとんどの分野で大きな飛躍が認められています。この間に、生産年齢人口は確実に減っているにもかかわらず、高知県の経済は劇的に体質改善が図られているのです。

このような変化がみられる直前に当たる今から16年前の平成17年に、大変印象深いことがありました。この頃、全国で有効求人倍率が0.5よりも低い地域は高知県を含めてわずか4つの道県でした。その当時、雇用情勢を改善するために、国の雇用政策で重点的に展開していた「パッケージ事業」（厚生労働省の雇用創出事業で人材教育や雇用創出の支援メニューに対する補助事業）や「新・パッケージ事業」（パッケージ事業に事業化支援メニューも盛り込まれた）では、提案公募の要件を緩和して、これらの道県からの提案を優先的に採択するよう、従来には考えられないような競争的資金の優遇策を講じていました。

ところが、その優遇策を講じているにもかかわらず、「高知県の市町村から提案がない」というのです。その情報は、事業を所轄している厚労省からではなく、経済産業省の四国経済産業局から入ってきました。そして局の方から、大学の連携している自治体に申請するよう働き掛けをしてほしい、という具体的なリクエストがあったほどです。国がいかに地方の底上げを考えていたか、逆にその当事者である高知県の自治体や県民がいかにのんびりと構えていたか、もっと言うと「諦めの境地」にいたのかをご想像できると思います。現状を打開する道筋が全く見えていなかった当時を反映するエピソードとして今も残っています。

さて、このような状況がその後一変するのですが、一体この間に高知県では何が起こったのでしょうか？　結論から先に述べてしまいますと、その核心には、平成20年に策定され、その翌年から実施された「高知県産業振興計画」があったのです。この産業振興計画を策定・実施した当時の高知県のトップが尾﨑正直氏でした。尾﨑知事は平成19年末に新たに知事に就任すると、その直後から産業振興計画の構想に着手し、計画策定に取り掛かりました。平成20年度に出来上がった産業振興計画を平成21年度から実施に移し、その後３期12年の県政運営における「一丁目一番地」として、次々にバージョンアップし、国内で最も経済的に劣勢だった高知県を大きく発展させていくことになりました。

著者は縁あって、この産業振興計画を策定する「産業振興計画策定委員会」の委員長を務めました。それから尾﨑県政12年間の最後まで、またその後新たに就任した濱田省司知事の元で現在14年間にわたり、本計画のＰＤＣＡを回していく「産業振興計画フォローアップ委員会」の委員長を担い続けています。なぜ著者がこの産業振興計画の中心的な役割を担うことになったのか、その経緯などは本書で詳しく紹介します。

申し遅れましたが、私は高知大学に教員として所属しており、「食品科学」を専門とする理系の研究者です。経済学の知識もなければ、行政への関与もそれまではほとんどありませんでした。ただ一心に、食品の美味しさや、機能性と言われる健康の維持・増進に有効な素材や成分に関して研究を進めていました。

国際誌を中心として150編以上の原著論文を発表していますが、その学術的な目で見て、高知県には面白い素材がたくさんあることに気づいていました。具体的には、カツオや二段階発酵茶・碁石茶（大豊町）などが代表です。その一方で、高知の有する「食」の価値が市場に対してきちんと説明できていないのではないか、と大変もどかしく感じていました。その価値を科学の言葉で客観的に説明できれば、高知県の潜在的な価値をもっと理解してもらえるようになります。特に高知県外の市場にそれらを売り込んでいけば、これまで「域際収支」（県外で売り上げる金額から県外から購入する金額を差し引いた値）が大幅赤字である体質を改善できるのではないか、と考えていたのです。

この考え方は、まさに尾﨑知事がその後提唱した「地産外商」（県内で生産したものを高い価値を付けた上で県外に商う）の概念と完全に軌を一にするものでした。結果的に、自身の研究から導かれた必然とも言える考え方が、産業振興計画の骨格につながることになったのです。「運命」という言葉を軽々に使うべきではないかもしれませんが、著者のこれまでの産業振興計画とのつながりは運命的であったと思っています。

さて、高知県の経済発展に大きな貢献を果たしてきている産業振興計画ですが、他の地域で策定されている計画と比べて何が異なるのでしょうか？　計画を作成することは今日、行政では一般的です。もしかしたら計画を策定することがルーチンに繰り返されて、計画だらけの姿となっているのが実態ではないでしょうか。そもそも計画をつくる目的とは何なのでしょうか？　日本経済新聞「大機小機」（令和3年7月16日付）にとても興味深いコラムが掲載されていました。「経済成長、計画より創造力で」というタイトルです。

「所得倍増計画」を打ち立てた池田勇人元首相に、当時の大平正芳官房長官が「日本は自由主義の国なので、計画という言葉は不適当ではないか」と指摘したところ、池田勇人首相は「何を言うか。計画とうたうから国民はついてくるんだ。外すわけにはいかん」と一蹴しました。計画には人々をその気にさせる力がある、という示唆です。

一方、この所得倍増計画には池田首相の経済ブレインで下村治という方が深く関与しています。下村治先生は、「私の興味は計画にあるのではなくて、可能性の探求にある」、何が「経済成長を推進するのか。これは要するに人間だということです。人間の創造力だということです。（中略）そういうものが自由に発揮されることがあって、はじめて経済の成長を推進するような力が生まれてくる」と述べています。つまり、可能性の探求からその実現につなげるエンジンとなる人々の「創造力」を引き出すためには、まずは人々をその気にさせなければならない。計画はその気にさせ、「創造力」を引き出す上でとても有効な手段だという教えです。

この所得倍増計画を高知県の産業振興計画に置き換えてみれば、「高知県産業振興計画は高知県民をその気にさせ、可能性の探求とその実現へと導くエンジンとして、県民の創造力を最大限に引き出した」と考察することができます。つまり、産業振興計画が大きな貢献を果たした根幹は、「大いに県民をその気にさせた」こと、もっと言えば、「県民のやる気に火を点けた」ことと言えます。そのことがそれまでの高知県において策定された様々な計画や、他の地域の計画との明確な違いと言えるでしょう。どうやってその気にさせたのか、それについては本論で詳しくお伝えすることにします。

県民のやる気に火を点けた産業振興計画は、それまでの諦めの境地に浸った県民体質を、可能性を探求し、その実現に導く能動的な体質へと変化させていきました。この間の産業振興計画の推進は、まさに県民の体質改善の取組とも言えます。

この「変化」や「改善」、さらには一歩進んで「変革」という用語を最近よく耳にします。みなさんも「ＤＸ」という言葉を聞いたことがあると思います。ＤＸとは、デジタル・トランスフォーメーションの略です。本来は「ＩＴの浸透が、人々の生活をあらゆる面でより良い方向に変革させる」と定義されています。これだけ変革が叫ばれているのは、このままではやがて私たちの生活が立ち行かなくなることを多くの人々が察知しているからではないでしょうか。

例えば本書で主題となる地方行政においては、人口の減少、少子化、高齢化などのそれぞれが関連しあった極めて深刻な課題に直面しています。まさに、冒頭紹介した「日本化」現象です。このままこの状態を放置すれば、「消滅可能性自治体」という嫌な言葉で予測された未来予想図が現実の姿になるでしょう。

「未来の年表」において河合雅司さんが警鐘を鳴らしたこの「静かなる有事」とともに、令和２年には新型コロナウイルスという人類の存続を脅かす新たな感染症も発生しました。定常的な危機に加えて、想定を超える突発的脅威も含め、これらにどのように対峙していくか、これからの未来に重く圧し掛かった問題です。

それではこのような明るい未来が描けない不透明な時代に、どのように生き残っていけばよいのでしょうか？　その答えを探る上での大いなる示唆は、有名な生物学者であるチャールズ・ダーウィンから得られます。ダーウィンは「もっとも強いものが生き残るのではなく、もっとも賢いものが生き延びるのでもない。唯一生き残るのは変化できるものである」という言葉を残しています。あくまで生物の話ではあるのですが、私はこの言葉はすべてのことに通じているのではないかと考えています。

もしこの生物を自治体に置き換えてみると、強い自治体や賢い自治体が生き残るわけではなく、変化できる自治体のみ生き残れることになります。恐らく自ら変化する、さらに既存の常識を白紙に戻してゼロベースで変化する、これを変革と呼ぶとすると、変革こそが自治体の生き残りへの道ということになります。産業振興計画の効果が県民のやる気に火を点けて、考え方に変革をもたらしているとすると、産業振興計画の県民に対する価値は、「未来に向けて生き残ることができる高知県へと進化させた」とみなすこともできます。

私は、この典型的な地方であるローカルな高知県を持続可能な地域へと進化させていく産業振興計画の取組を、ここで新たに「ローカル・トランスフォーメーション（LX）」と呼んでみたいと思います。DXの場合は「D」（デジタル）が「X」（変革：トランスフォーメーション）の手段として使われますが、LXにおいては「L」（ローカル）という対象を「X」に導くという意味で使っています。

ただ、ここで提唱するLXはこのニュアンスだけにとどまることはないようにも思います。「変革辺境論」という考え方をご存じでしょうか。「変革は辺境の地から」と表現した方がお馴染みかもしれません。「L」の典型的な「地」である高知をあえてここでは「辺境」と呼ぶとすると、この辺境の地で起こる変化が全体（辺境に対する東京を始めとする都市圏）に変革をもたらす、もっと言えば、変革はメインである中心で起き始めるのではなく全体からは最もちっぽけな「端っこ」で生じる、という意味です。明治維新もそう言えば、薩長土肥を中心とする辺境で始まりました。つまり、持続可能な地域づくりに至る変革が辺境の地から日本全体に波及し、大きなうねりになるのではないかということです。その意味では、LXを「Lから起こるX」とも捉えることができると思います。

本書では、この2つの意味を有するLXの具体的な事例として、高知県における産業振興計画に注目して、そのXをもたらした背景をさまざまな視点から分析してみます。もちろん、その多くはリーダーとしての尾﨑知事の手腕によるのですが、その取組や手法、さらには考え方を地域のXとして明確に紐解いて、その価値を未来に継承し、さらには他のLや日本全体、そして世界へ展開することを目的とします。私はこの産業振興計画に長く携わってきましたが、その中で感じたこと、さらにはその取組に対して、自ら所属している高等教育機関はどのようにコミットしていったのか、等々も併せてご紹介します。この取組が今後の自治体と高等教育機関の連携モデルとして活用されることを期待してのことです。

この後続く第2章においては、LXの実践編（具体的事例）として、産業振興計画の実施部隊である高知県産業振興推進部の初代部長を務められ、その後、長年にわたり尾﨑知事を副知事として支えてこられた岩城孝章氏と、裏話を含めてかなり踏み込んで、できるだけリアルに語り合いたいと思います。その対談を受けて、第3章では産業振興計画で実践されたLXの本質を整理して、総論的にまとめてみました。そして最後の第4章において、LXを実践するにはどのように取り組んで行けばよいのか、「Q＆A」のスタイルで説明しています。自ら取り組んでいただける方が本書を通じて一人でも多く現れることを期待しています。

それでは高知県のLX物語の始まりです！

第2章

高知県産業振興計画はなぜ奇跡を描けたのか

——どこまで挑めるＬＸの事例として

受田：いや、本当に、自分自身がその後そういう大役を担うなんて全く夢にも思ってなく、今まで感じてきたことを知事に分かってほしいと一所懸命お話ししたことでした。

岩城：知事に呼ばれ、いよいよ人事のことかと思いつつ腰を掛けると、いきなり「産業振興推進部長を」って言われたんです。「ええーっ、私がですか？」。もう、めちゃくちゃ驚きました。

受田：10年後の数値目標を野心的に設定して、そしてクリアした。むしろ、それを上方修正していきながら今やっているわけなんですけど、よくやれましたよね。

岩城：産業振興計画が始まる前の平成20年当時から言うと、いろんな数字が上向いてきています。県民所得にしても、全国で上昇

率が12%ぐらいなのに高知県では20%ぐらいになってますし、成果は出てますよ。大したもんです。

受田：ここまでやれているというのは奇跡に近い。それくらい緻密な作戦と、一番大事なところは意識改革でしょうね。

岩城：はっきり言って、どこの県が同じやり方をしても必ず効果は出てくると思うんです。事業や内容はそれぞれ違うかもしれませんが、このやり方で県を変えていくということはできるし、やはり意義のあることかなという気がするんですね。

受田：産官学の究極の共通する目標というのは、やっぱり「地域を発展させる」「持続可能なものにする」という思いを一つにして、自らが当事者として身を粉にして協働していくという姿ではないでしょうか。

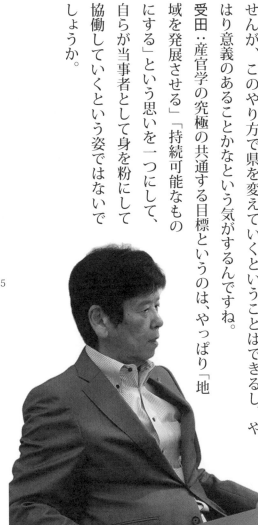

■この対談は、２０２１年7月19、26日に行われました。それを基に修正・加筆しています。
尾崎知事、岩城副知事はすでに退職していますが、「前」を付けることなく話を進めています。

受田：岩城さん、いやー、２０２４年度に開催する高知大学の75周年記念事業委員会の委員就任へのお願いに行った以来ですね。お久しぶりです。

岩城：先生、こんにちは。１年ぶりくらいになるんですかね。今日は先生とお話しできるのを大変楽しみにしています。いろいろな思い出も含めて、語り合いたいと思います。どうぞよろしくお願いします。

受田：今回は私の企画にご協力いただきましてありがとうございます。本書では、高知県産業振興計画をローカル・トランスフォーメーション（ＬＸ）のモデルとして捉えていきたいと考えています。

岩城：ＬＸですか、初めて聞きます。これは先生が考えられた新しい言葉ですね、大変興味深いです。

受田：さっそくですが、最初に高知県産業振興計画について具体的に見ていきます。

まずは高知県産業振興計画とは何か？そしてその立ち上げに関して。

２つ目が産業成長戦略の推進、特に食品産業の振興と人材育成の切り口。

３つ目は、大学として県と一緒に取り組んできたＣＯＣやＣＯＣ＋（プラス）事業（後述27、100頁）。これは、地域アクションプランとして地域産業振興監のみなさんとご一緒した具体的な取組ということになると思います。

そして４つ目として、産業振興計画の成果を眺めながら、今まさに非常に盛り上がってきているＩｏＰ（後述128頁）の事業を紹介します。県内の取組が国のモデルとして大きな注目を集めているホットなプロジェクトです。おそらく世界に向けて高知は発信できる。これも顕著な産業振興計画の1つの成果であり、これからさらに発展を遂げていく部分だと思います。

こういう流れで話を進めていき、最後に高知県の未来というところにつなげていきたいと思います。

1　高知県産業振興計画とは何か

受田：そもそも高知県の産業振興計画とは何かを、岩城さんからご紹介していただけますか。

岩城：良い機会ですので、少し振り返っておきましょう。

まず、高知県産業振興計画とは平成20年度に1年をかけて作成した計画です。作成には策定委員会を立ち上げました。後でお話ししますが、この策定委員会にいろいろと裏話があります。策定の段階から、JAや森林組合、漁協、商工会議所、金融機関など県内の各界トップから成る親委員会と、そこに協議内容を反映していく「農業」「林業」「水産業」「商工業」「観光業」及び「連携部門」に関する専門部会、さらに県内を安芸、物部川、嶺北、高知市、仁淀川、高幡、幡多の7つのブロックに分けて設置した地域連携推進本部でそれぞれ協議される各地域アクションプラン（AP）策定委員会、ここで市町村や地元の事業者を交えて協議が重ねられました。

受田：1年にわたり相当な頻度で議論されたんですよね。

岩城：ええ。記録を見返してびっくりしましたが、親委員会を6回、各専門部会もそれぞれ7回、これにアクションプラン策定委員会を入れるとものすごい数の議論を重ねています。そのように多くの県民の関わりと時間によって完成したのが、第1期目となる産業振興計画です。これはパンフレットにまとめられています。

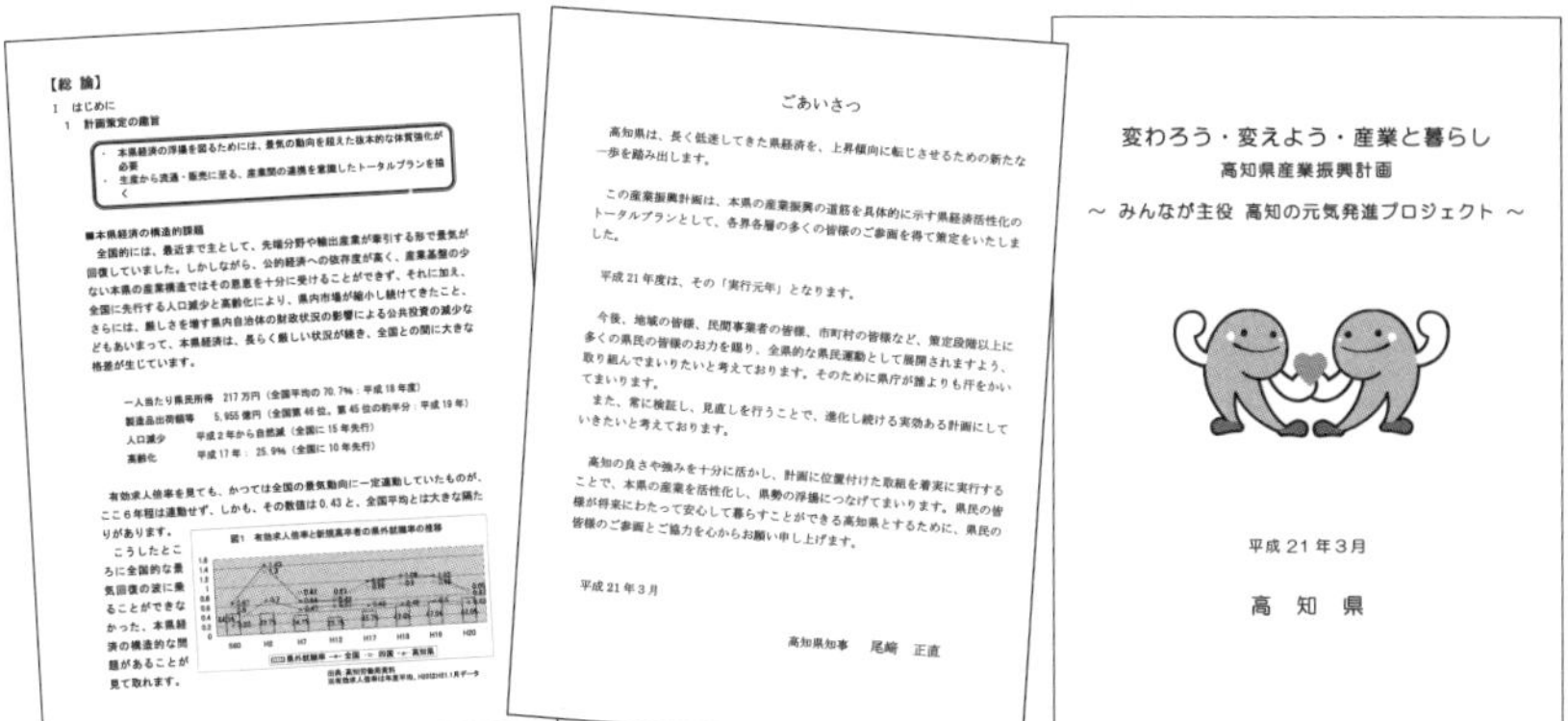

【総 論】
1 はじめに
1 計画策定の趣旨

- 本県経済の浮揚を図るためには、景気の動向を超えた抜本的な体質強化が必要
- 生産から流通・販売に至る、産業間の連携を意識したトータルプランを描く

■本県経済の構造的課題

全国的には、最近まで主として、先端分野や輸出産業が牽引する形で景気が回復していました。しかしながら、公的経済への依存度が高く、産業基盤の少ない本県の産業構造ではその恩恵を十分に受けることができず、それに加え、全国に先行する人口減少と高齢化により、県内市場が縮小し続けてきたこと、さらには、厳しさを増す県内自治体の財政状況の影響による公共投資の減少などもあいまって、本県経済は、長らく厳しい状況が続き、全国との間に大きな格差が生じています。

一人当たり県民所得 217万円（全国平均の70.7%：平成18年度）
製造品出荷額等 5,955億円（全国第46位、第45位の約半分：平成19年）
人口減少 平成2年から自然減（全国に15年先行）
高齢化 平成17年：25.9%（全国に10年先行）

有効求人倍率を見ても、かつては全国の景気動向に一定連動していたものが、ここ6年程は連動せず、しかも、その数値は0.43と、全国平均とは大きな隔たりがあります。

こうしたところに全国的な景気回復の波に乗ることができなかった、本県経済の構造的な問題があることが見て取れます。

図1 有効求人倍率と新規高卒者の県外就職率の推移

ごあいさつ

高知県は、長く低迷してきた県経済を、上昇傾向に転じさせるための新たな一歩を踏み出します。

この産業振興計画は、本県の産業振興の道筋を具体的に示す県経済活性化のトータルプランとして、各界各層の多くの皆様のご参画を得て策定をいたしました。

平成21年度は、その「実行元年」となります。

今後、地域の皆様、民間事業者の皆様、市町村の皆様など、策定段階以上に多くの県民の皆様のお力を賜り、全県的な県民運動として展開されますよう、取り組んでまいりたいと考えております。そのために県庁が誰よりも汗をかいてまいります。

また、常に検証し、見直しを行うことで、進化し続ける実効ある計画にしていきたいと考えております。

高知の良さや強みを十分に活かし、計画に位置付けた取組を着実に実行することで、本県の産業を活性化し、県勢の浮揚につなげてまいります。県民の皆様が将来にわたって安心して暮らすことができる高知県とするために、県民の皆様のご参画とご協力を心からお願い申し上げます。

平成21年3月

高知県知事　尾﨑　正直

変わろう・変えよう・産業と暮らし
高知県産業振興計画
～ みんなが主役 高知の元気発進プロジェクト ～

平成21年3月

高 知 県

産業振興計画 ver.2 PR版パンフレット（平成21年6月）より

受田：懐かしいですね。
岩城：思い入れがありますからね。中身を見てみますと、「総論」があって、計画策定の趣旨が書いてあります。
受田：それが、
・本県経済の浮揚を図るためには、景気の動向を超えた抜本的な体質強化が必要
・生産から流通・販売に至る、産業間の連携を意識したトータルプランを描く
ですね。
岩城：これに続いて計画の構成があります。それが、
・産業別の成長戦略と地域別のアクションプランで構成
・改革のための3つの基本方向を打ち出す
の2点です。

受田：その総論には、

「計画の必要性を明らかにするとともに、本県の強みや弱みを整理（SWOT分析）し、大きく、「食」「自然と歴史」「人」の3つのカテゴリーで分類される強みを活かしきる視点から、
①足下を固め、活力ある県外市場に打って出る
②産業間連携の強化
③足腰を強め、新分野への挑戦

SWOT分析：企業や組織に関し、強み（Strength）・弱み（Weakness）・機会（Opportunity）・脅威（Threat）を軸に評価を行う分析手法。
5W1H：いつ（When）、どこで（Where）、誰が（Who）、何を（What）、なぜ（Why）、どのように（How）。

の３つの改革のための基本方向を打ち出しています。」ここにある①が「地産外商」という言葉で表現されるようになるんですね。

岩城：そうなんです。その後、高知県ではこの「地産外商」という言葉が当たり前のように使われるようになりました。

そして、「産業成長戦略」として、総論で示した３つの改革のための基本方向を具体化する戦略として、農業・林業・水産業・商工業・観光の５つの産業分野及びこれらの産業分野間を結ぶ連携テーマについて、目指すべき姿やこれまでの取組の分析を踏まえて、これからの対策を、いつ、誰が、どのような形で実施していくのか（５Ｗ１Ｈ）を記載しています。

受田：５Ｗ１Ｈもここに登場するんですね。

岩城：その先、いやになるほど意識させられた言葉ですね。

受田：そして、もう一つが「地域アクションプラン」ですね。

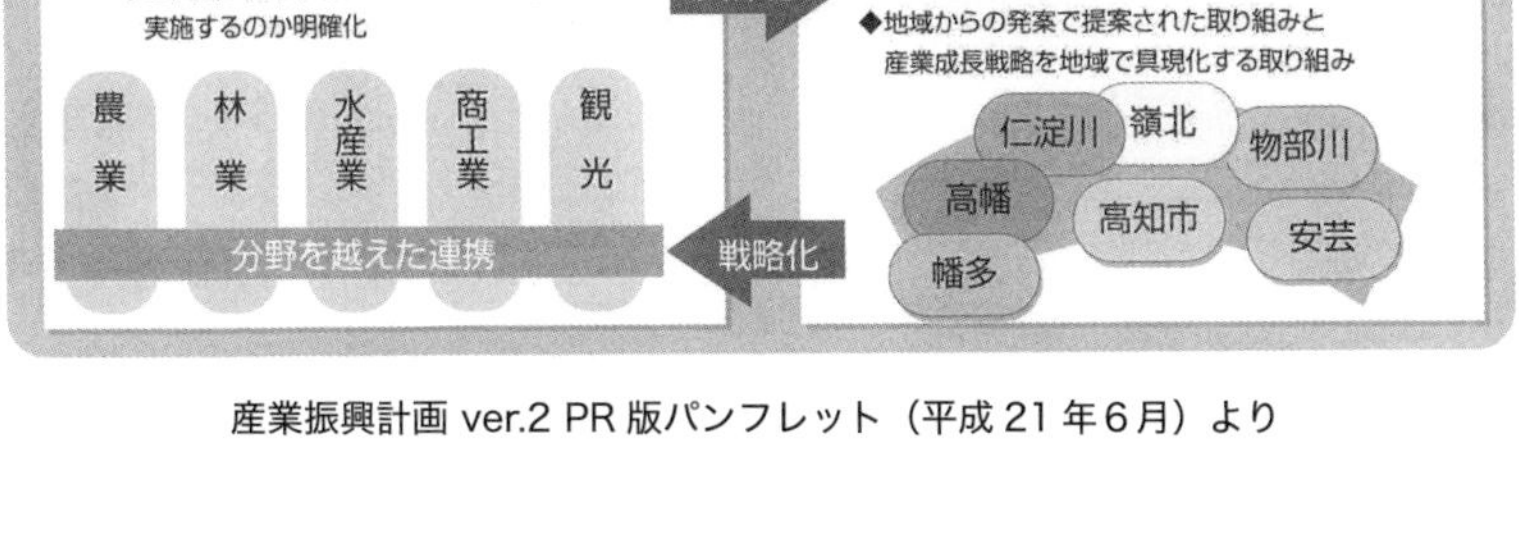
高知県産業振興計画
総論
◆本県の強みや弱みを整理（SWOT分析）
◆強みを生かしきる観点からの3つの改革の方向
311施策
くわしくは 13･14ページへ
221事業
くわしくは 15･16ページへ
産業成長戦略
◆5つの産業分野及びこれらを結ぶ連携テーマ
◆これからの対策をいつ、どのような形で実施するのか明確化
具体化
◆7地域ごとに産業成長戦略に沿って地域が目指す産業の姿やそこで進める具体的な取り組み

産業振興計画 ver.2 PR 版パンフレット（平成 21 年６月）より

岩城：「地域アクションプラン」では、地域の文化や特色といった地域性や、生活圏域、行政サービス面でのまとまりを考慮して県内7つの地域を設定し、それぞれの地域で、産業成長戦略に沿って地域が目指す産業の姿やそこで進める具体的な取組を明らかにしています。

受田：結果的に、県全体では約220件にのぼる取組からスタートしたんですね。

岩城：これらは大別して2つの種類で構成されています。1つは地域からの発案で提案されるもの、もう1つは産業成長戦略を地域で具現化する取組として提案されるものです。

受田：時間は策定からすでに14年が経過しているので、その後、産業振興計画がどのような成果を挙げたのかを簡単に見ておきたいと思うのですが…。

岩城：毎年PDCAを回す上で、必ずさまざまな経済指標がアップデートされて進捗《しんちょく》を管理していましたので、成果は最新の産業振興計画のパンフレットの最初に示されています。

受田：それ（左頁図）は、最新バージョンに掲載されている経済指標の経時《けいじ》的な動きですね。

岩城：4期目のものを見ると、多くの指標が目標を達成しつつ、さらに上方修正されながら伸びていっています。

受田：高知県の有効求人倍率が全国の伸びから取り残されて0.5以下をうろついていた時代を私は知っているので、その数字がここに示されているように全国の動きに連動し、全国に追いつこうとしていることを大変感動的に見ています。

岩城：先生には食品産業について大変お世話になりましたが、その数字も驚くほど伸びていま

PDCA: 計画（Plan）、実行（Do）、点検（Check）、改善（Act）のステップを繰り返し、改善を図る管理手法。PDCA サイクルとも呼ばれる。

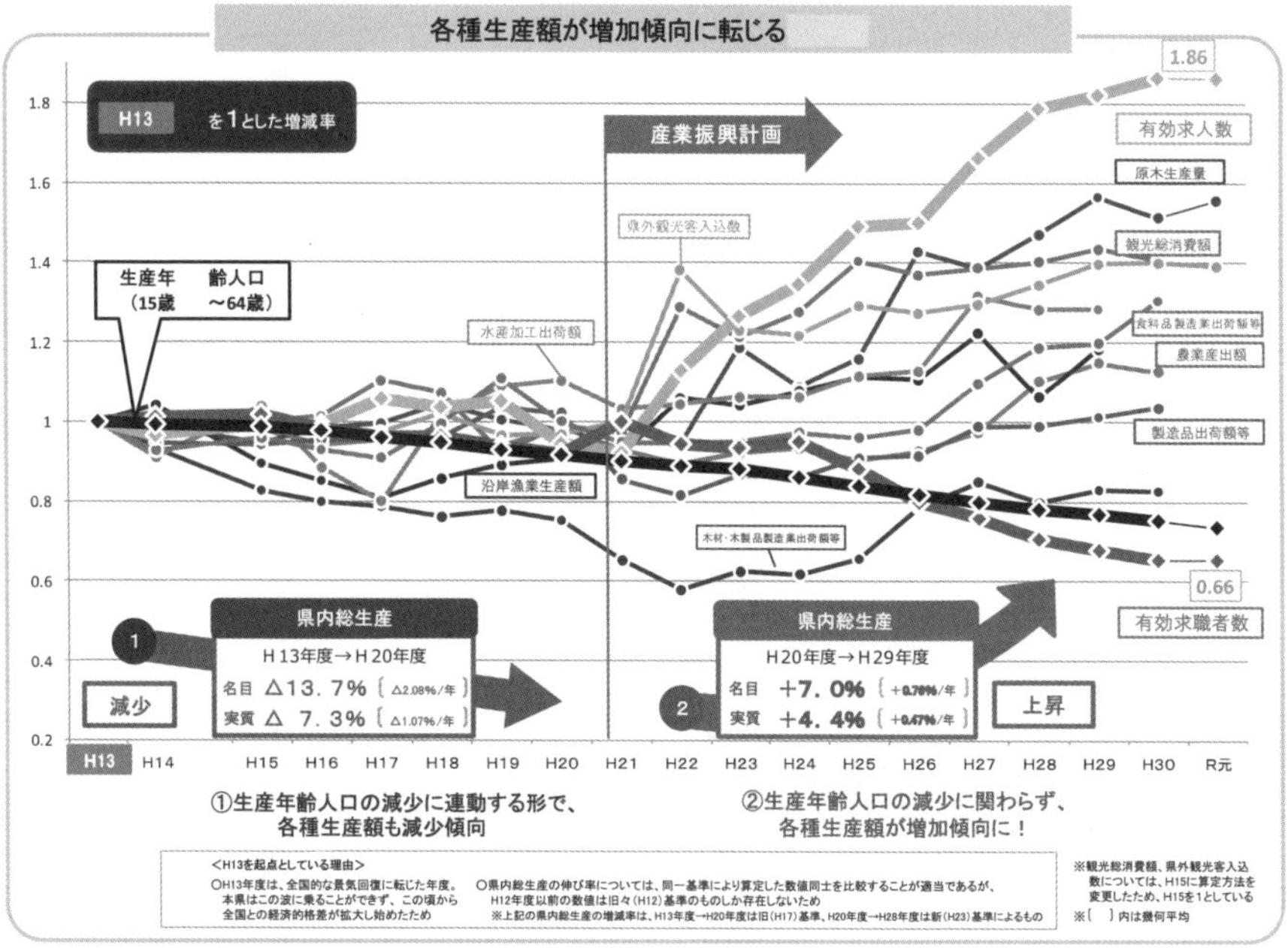

<有効求人倍率の推移>

出典：厚生労働省「一般職業紹介状況」

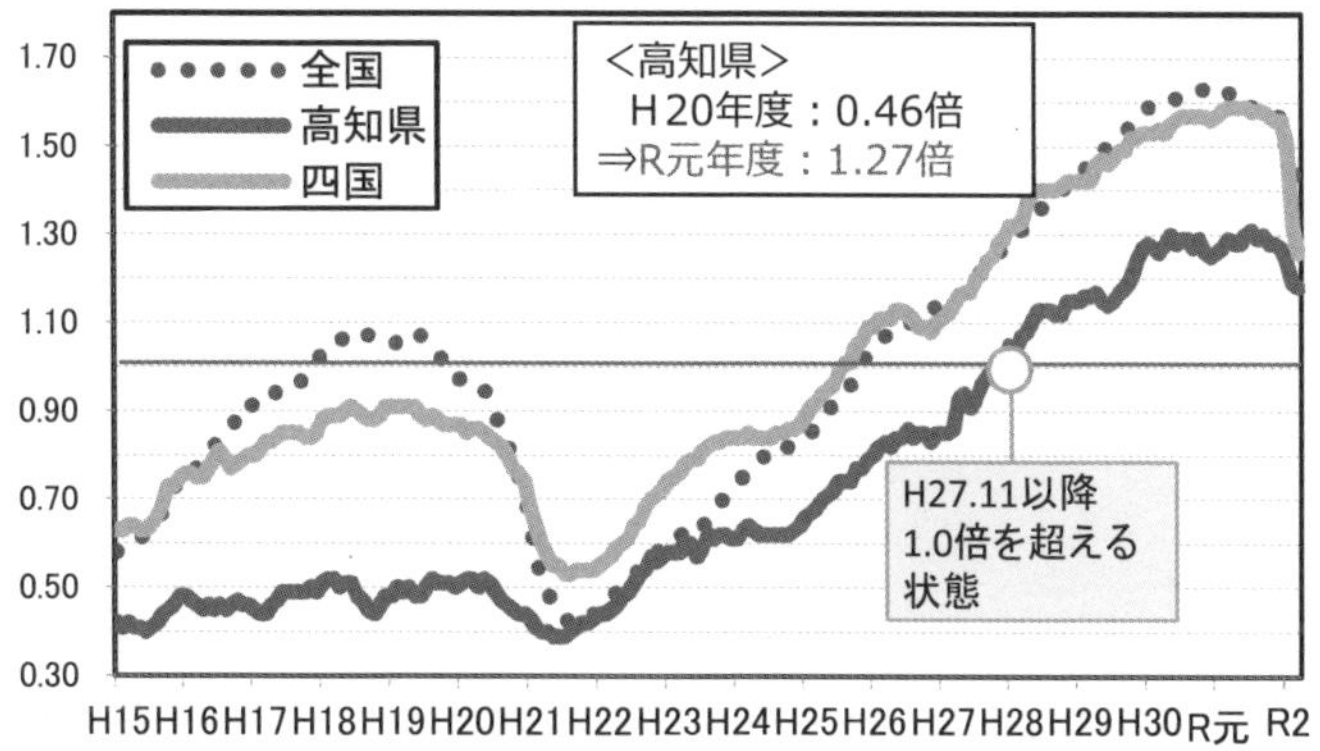

第４期高知県産業振興計画 ver.2 PR 版パンフレット（令和３年６月）より

す。

受田：大雑把《おおざっぱ》に言えば、その当時から比べて1・4倍位に産出額が増えているんです。このように成果が数字で顕著に表れてくると、とても感無量だし、やりがいを感じますね。

多くの成果を生み出してきた産業振興計画ですが、立ち上がりの経緯からもう一度歴史的に振り返ってみたいと思います。

2　高知県産業振興計画の誕生物語

●高知県と高知大学の接点が生まれる

受田：高知県の産業振興計画がどういうふうに立ち上がってきたのか、詳細に振り返ってみたいと思います。たぶん私も知らない裏話もいっぱいあると思うんですけども…。

岩城：産業振興計画が始まるその前段の話になりますが、平成20年までの高知県の施策といえば、農業にしても林業にしても水産業にしても、生産性の向上だけだったんです。私は水産分野に長くいたんですが、当時の事業の1つに海の中に魚礁《ぎょしょう》を入れる事業があり、ここに大きなお金が投入されていました。

受田：黒潮牧場ですね。

岩城：黒潮牧場ならまだいいんですが、沈設型魚礁ということで、コンクリートとかいろいろ組み合わせたものを海のあちこちに放り込むんです。そこにアジとかサバとかが来て、釣れるからというので、億のお金を出して生産性の向上を目指したわけです。

でも、少し時間が経つとどこに入れたか分からなくなる…。そういうのではだめだよ、費用対効果を考えないとね、ということになったんです。確かに一番効果があったのが、黒潮牧場。そこに重点的に投資をしましょうというやり方に変わっていきました。

農業を例にとると、これは生産量の拡大に直接結びつかないかもしれませんが、どんなに良いピーマンを作っても一元集荷をして、「高知のピーマンです」とみんな同じ袋で販売される。ある農家がこだわって「こんなに美味しい」という自信のある商品を作っても、そうでないものと一緒になってしまうわけです。園芸連は高知の園芸農業の発展に大きく寄与しました。その事実に変わりありませんが、こだわりの作り方で自分の生産したものを自信を持って売り

黒潮牧場：かつおやまぐろ類を対象に土佐湾に設置されている表層型浮魚礁。

出していきたい、そういう生産者は多くいましたので、そういう方々にチャレンジの機会を与えたいという思いもありました。
このような「作るだけ」で売ることを全く考えていない状況から、尾﨑知事の登場で県の施策の劇的な方向転換が図られることになるわけです。尾﨑先生との出会いがその転換に至る大きなきっかけになったわけですが、この頃はまだ先生と私も接点はありませんでしたね。そもそもどのような経緯があって、尾﨑知事と先生とが出会うことになったのですか。

受田：まずは橋本大二郎元知事の時でしたが、私が勤めていた高知大学

［受田浩之プロフィール］
昭和35年（1960年）北九州市生まれ
平成19年4月～平成22年3月花・人・土佐であい博実施計画推進委員会副委員長、平成20年5月～平成21年3月高知県産業振興計画検討委員会委員長、平成21年8月～高知県産業振興計画フォローアップ委員会委員長、令和3年1月～高知県まち・ひと・しごと創生総合戦略推進委員会委員長、現在に至る。

国際・地域連携センター（現在の次世代地域創造センター）に新たに産学連携コーディネーターを配置するタイミングが訪れたんです。思案をした結果、当時の相良《さがら》祐輔学長に意中の人がいることをお話しし、その方を2人で口説こうと食事にお誘いしました。その方がその後の私たちの師匠となる、当時の高知県産業振興センター理事長の北添英矩さんで、その場が奏功して着任していただくことになりました。

それ以降、高知県との連携が極めてスムーズかつ濃密に進むようになりました。北添さんは、我々がそれまで知る由もなかった集まりに出られるよう働き掛けをしてくれました。おかげで高知県の大阪事務所や東京事務所にも顔を出せるようになったんです。特に印象深かったのは、大阪事務所が主催していた「関西から高知を応援する会」という、高知にご縁のある関西の企業の経営者が集う会にメンバーとして参加させていただいたことです。ここでオーガナイザーを務めていた当時の十河《とうごう》清副知事にもお会いし、さらに日本トリムの森澤紳勝社長らとご縁をいただきました。

これをきっかけにして橋本県政の最後の方になりますが、私もいろんなお話をさせていただくようになったんです。大学での地域連携の仕事を現場の責任者として務めることになって間もない頃でしたので、何でもやりますからというような感じで気軽にお話しできる関係になっていました。その結果でしょうか、橋本県政最後に企画された「花・人・土佐であい博」で、先日残念ながら亡くなられた丸三の岡内啓明さんが委員長を務められた実行委員会において、私が副委員長を務めるというような機会もいただくようになっていたんです。そしてこれらのご縁が、この年の知事選挙で初当選された尾﨑正直知事との出会いへとつながっていくのです。

その後、橋本知事に代わり新しい知事になられた尾﨑知事は、県勢浮揚のための政策・施策の立案を就任当初から進めておられました。そこに十河副知事からの進言で、私に提案の機会が与えられたのですが、それが可能になったのはこれまでの県とのつながりがあったからでしょう。

岩城：尾﨑知事と話す場がセットされたのはいつ頃でしたか。

受田：それは平成20年3月18日のことです。とても緊張しましたが、その時に私は専門の食品科学の観点から、高知県の農業生産の実績と、それに対する食品産業の産出額との間の詳細な比較を行い、「高知県の農業は生鮮出荷に偏り過ぎており、加工による付加価値の創出が極めて不十分。逆に言えば、食品産業の振興を推進力にすれば、高知県全体の産業振興が図られる可能性は高い」と力説しました。このプレゼンのことは今でも昨日のことのように記憶しています。

岩城：県の重要施策となる産業振興計画の立ち上げ、その計画を作ろうとして受田先生に策定委員会の委員長をお願いする前に、そういう場面があったわけですね。

受田：それから1か月ちょっと経った、確か「花・人・土佐であい博」の牧野植物園でのオープニング後のことです。この時、十河副知事にたまたまお目に掛かったんです。
岩城：その頃というと、確か県では、産業振興計画を立ち上げるという検討段階に入っていた頃です。
受田：そのようです。十河副知事から「先生、今度大事な役割をお願いしたいと思ってますので、よろしくお願いしますね」と声を掛けられました。その「大事な役割」は何なのか、具体的には言われませんでしたが、後になって、それが産業振興計画の策定委員会の委員長だったというこ

[岩城孝章プロフィール]
昭和 27 年 11 月 高知県室戸市生まれ
土佐中・高校、早稲田大学商学部卒業後、昭和 53 年 8 月高知県庁入庁、平成 15 年農林水産部海洋局海洋企画課長、18 年総務部業務改革推進室長、20 年総務部副部長、21 年産業振興推進部長、24 年 1 月副知事就任、令和 3 年 3 月副知事退任、6 月高知空港ビル株式会社代表取締役社長就任。

とが分かりました。
岩城：うまい口説き方ですね。知事へのプレゼンの際には伸び代《しろ》として具体的な数字も紹介されたんですか？
受田：尾﨑知事とお会いした時に、今の農業と食品の生産額の比をお示ししたのと、そこから逆算して食品の産業的な伸び代がどれぐらいあるかということを申し上げたんです。具体的には、高知県の農業の産出額がちょうど１０００億円ぐらいで、その時の食品関連産業は700億円ぐらい。比率にすると、0.7ぐらいになる。じゃあ全国で見るとどうかというと、比率は２・94という数字でした。ほぼ３ぐらい。つまり、農業の産出額が１０００億円あったら、食品関連産業は３０００億円くらいあってもまったくおかしくない。ということは、今700億円で１０００億円にも満たないという現状は、伸び代がそれだけあるということを意味している、そんなお

高知県の食品産業

H19 ① 食料品出荷額等723億円（全国46位）
② 農業生産額963億円（全国31位）
③ 食品加工指数（①／②）0.75（全国46位）（全国平均2.94）

↓ **食品加工等に関する専門人材の不足**

食品の高付加価値化・中核人材の育成が必要

尾﨑知事へのプレゼンで紹介した「当時の高知県食品産業」

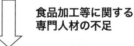

話をしたことでした。
いや、本当に、自分自身がその後そういう大役を担うなんて全く夢にも思ってなく、今まで感じてきたことを分かってほしいと一所懸命でした。

岩城：知事はその時、たくさんのお方とお会いしたと思うんです。ただ、非常に人を見る目というか、この人はこういうタイプの人だ、この人は信頼できるな、というのを瞬時にして見分けることができる能力を持っていますので、もうその時に「この人にお願いしよう」と、たぶん知事の胸の中で決まったんじゃないでしょうか。そこから大変長いお付き合いになりました。
ところで、そのデータは先生のオリジナルだったんですか。

受田：お話ししたのは統計データを元にした私のオリジナルで、いかに高知県の食品産業が振興していないのか、これを絶対値で言ってもなかなか説得力がないので、素材として農業があって、農業生産されている素材がどれだけ加工されて付加価値が付いて売り上げが伸びていくか。この比率をお示しすればたぶん分かっていただけるだろう、ということで紹介したわけです。

岩城：いち早く受田先生と話をし、高知県は農業であれば生産額に対する加工品の割合が全国最低レベルですよ、というのを聞いた尾﨑知事は、いかに高知県を変えていくのか、そこでまずやるべきは「地域の強みを磨き、付加価値を付けること」と確信したんでしょうね。その付加価値があれば、県外へ打って出られる。後に、産業振興計画に対するベースの考えになっていった「地産外商」のコンセプトが生まれることにつながっていったと思います。

先生と出会って、貴重な人に恵まれた、この人とならやっていける、というような話をしていたのを思い出しますし、ご自身が高知新聞に連載した回顧録「至誠通天の記」にも「まさに同志との出会い」、そんなことを書いていましたね。

受田：実は、その時にもう1つ、平成19年の7月に出ていた「フィナンシャルタイムス」のネット記事を紹介したんです。この記事が翌8月、「週刊新潮」に日本語になって出ていて、何て書いてあったかと言うと、「世界に貧乏ぶりを紹介されてしまった高知県」という見出しの記事なんです。

ちょうど同じ7月の末に、自民党が下野するきっかけになった参議院選挙があったんです。この選挙がどうなるのか各国のマスコミは注目していて、それで地方の振興をどういうふうに見るかというのがポイントになっていました。逆に言うと、今の地域が置かれている状況が東京とものすごい格差が生じている、これを槍玉《やりだま》にあげたかったので、高知の様子を一つ事例として取り上げた、ということだったんです。

いろいろ書いてあるんですけど、結局、客観的なデータとしては「有効求人倍率が非常に低い」ということだけで、日本の平均が1・06なのに高知県は0・44、そこをばーっと膨らませただけなんです。実際に記者が高知に行ってみたとなっていまして、その中で高知県民は

「keen drinker」と表現されていました。どういう内容かというと、夜、飲み屋街に行ってみると、アイドリングしているタクシーがずらっと並んでいるだけで呑み助が多いはずなのに客もいない、なんかもうゴーストタウン化している、みたいな流れでした。つまりは、有効求人倍率が低いという客観的に見えるものを膨らませて、都会に比べて田舎は非常に寂れてしまっている、これを日本中が問題視していてたぶん選挙でこういう地方の意向が大勢を決めていくんじゃないか、ということを言いたかったようです。

尾崎知事はこれをご存じなかったようで、その時、隣におられた十河さんに「見ましたか」って聞くと、副知事は分かっておられた様子でした。

岩城：そうですね、有効求人倍率に関しては知事もものすごく敏感になっていましたね。尾崎さんは、こんなふうに比較され、こんなふうに紹介されると、一番燃えてくる人で、それをどう見返していくかという反骨心にメラメラと火がついていくタイプ…。

産業振興計画を記載した一番最初のパンフレット（57頁参照）には頁の先頭に求人倍率を載せていましたし、それは何よりも県民の方に理解してもらいやすいデータだったと思います。数年前、景気が良くなってきた時、元総理の安倍さんも「あの高知県でも1以上になりました」って…。

●新知事誕生と産業振興計画産みの苦しみ

受田：尾﨑知事が自民党、民主党、公明党、社民党の推薦で出馬し当選したのは平成19年の11月25日で、4党相乗りのせいか県民の関心は高まらず投票率は過去最低（45・92％）を記録してしまい、高知新聞には「候補の顔見えず」「冷めた知事選」と書かれたほどでした。

その翌年の6月に策定委員会が立ち上がります。この計画が表に出てくるまでの間のことをお聞きしたいのですが。

岩城：平成19年12月に就任して知事になった尾﨑さんは、予算編成をする1月以降、各部局の話を聞き、頭の中でじっと考えていたと思います。年度が変わってスタートダッシュがものすごくて、4、5月に相当な勢いでやって、6月に策定委員会を立ち上げて、そこからずっと作業し続けていくことになり、各部局とも相当詰めた話し合いをしました。そして、その時から、受田先生には委員長として携わっていただくことになりました。

受田：ちょっと遡《さかのぼ》って記録を見ると、6月にあった1回目の策定委員会の前の5月1日に、産業振興計画検討委員会設置要綱が施行されていますね。恐らくその5月より前に、産業振興計画をどんなふうに作っていくかということで県庁で指名されたのが、その後文化生活部長をされた岡崎順子さんと理事をされた金谷正文さん（現在、土佐くろしお鉄道社長）なんでしょう。

お2人が途方に暮れた表情をして訪ねて来られたのを今でもよく覚えています。

岩城：2人は当時、政策企画課の課長と課長補佐。彼の下に澤田博睦チーフがいました。

受田：この時点では計画のイメージが全くない状態だったんでしょう。「どうやって作りましょうか」「どんなものを作っていったらいいんでしょうか」と困惑されていたのが印象的でした。これが、私と産業振興計画との最初の出会いだったのです。

岩城：2人は大変な思いをしたと思います。取りまとめをしようにも反発だらけ。いろんな関係者に突き上げられることもありました。議会からも作ることに対して多くの意見がありました。部長は千葉健さんだったですけど、本人が希望したんだと思いますが、4月の人事異動で外郭団体に出てしまいました。

受田：そこで、「知事のイメージをちゃんと聞いて、そのイメージから逆算していかないと知事が思っているものと同じものにならないんじゃないか」って話をしたんですけど、お2人は「知事のイメージと現場の感覚にめちゃくちゃギャップがあるんです」って…。

岩城：2人にしたら、計画を何回も何回も作らんといかんようだったら本当に大変やという予感があったのだと思います。というのも、県はいろんな計画を作りますけど、今までの県庁でしたら、まず計画ありき。私がいた例で言えば、企画部では計画づくりで終始していましたし、商工労働部であれば「これが我々の目指すところです」というものを「商工ビジョン」として

10枚くらいのペーパーに計画をまとめることをしていました。

だから12月に尾﨑知事が就任して、さぁ産業振興計画を作るぞという時に、庁内は「いやいや、そんなものはもうすでに作っています」というところからのスタートだったわけです。知事は3月くらいまで構想を練り上げていて、4月、5月に庁内でヒアリングしていきました。内容に関して、知事に「そんなものは計画とはいえない」と否定される。そういう計画づくりから始まって、どうやって実行するんだということを徹底的に話し合っていったんです。その点、尾﨑知事は確実に実行するために、いつまでに、何をすべきかなど、5W1Hで一人ひとりの役割を決め、PDCAサイクルをしっかり決めていくわけです。

絶対にやるんだ、絶対にこの計画は実効性をもたすんだ、という思いがあったんですが、計画を実行する3、4か月ぐらい前の12月くらいまではまだあんまり詰め切れていませんでしたね。

受田：岩城さんは、その産業振興計画を策定する過程には…?

岩城：私はその時、幸いなことにあまり関わっていないんです。尾﨑知事が就任した当時、私は秘書課の隣の業務改革推進室の室長をしていました。仕事の内容は、橋本大二郎知事の遺産というか、県庁の仕事を減らして外に出すアウトソーシングと、システム開発が柱でしたね。そのシステムは今も県庁中みんなが使っているんですが、所属長として携わっていました。

次の4月に総務部の副部長に異動するんですが、総務部は財政とか人事とかがメインで、計画づくりは企画振興部と各産業所管分野がやってました。その部署以外のあまり関係ない者には、県庁中で大変なことをしている、それは産業振興計画というものらしい、夜遅くまでずっとやっている…、これは大変やな、少し遠くにいた方がいいかな、といった空気でした。

ところが、総務部の副部長のところにもその資料はくるんです。それがものすごくて、今まで県庁で見たことがないぐらいのコピーの量なんです。それが見直しされるたびに回ってくる。

受田：大変だった一つは、私が「食品」って言い出して、知事も付加価値を付けて、要は農業振興でいうところの系統共販の仕組みに対し、生鮮のみならず加工品で勝負するという話をしたので、ある意味、系統共販から青果物を引っ剥がすようなイメージを持たれた方々も大勢いらっしゃいました。

岩城：たくさんいましたね。当時の農業振興部長もそういう意識を持っていました。そういう面で言うと、農業だとか水産であるとか、何度か加工への挑戦を試みたこともありました。

一番深刻だったのは、農業です。部長自らが園芸連にものすごく気を使ってましたから。園芸連あっての高知県園芸農業でしたからね。そういう思いもあったので、ハードルは高かったですね。

受田：僕も、そういう意味では矢面《やおもて》に立たされました。今でこそ言えるんでしょうけど、例えば同じ農学系の研究者たちの中には県の農業振興部とのつながりの深い人がおられて、そう

系統共販：農協や県園芸連を通じ、青果物を県域でまとめて販売すること。

いう方々から「あいつは食品はやっているけど農業のことは何も知らんやつだ」という噂をわーっと巻き散らされて…。ある時は、ＪＡの集まりに私と知事が一緒に行ったことがありました。ちょうど策定している最中だったと思うんですけども、そこでも園芸連、当時の幹部の方々に「系統共販に対して加工をどう位置づけしようとしているのか」など問いただされたり、相当シビアでしたね。

岩城：「顔の見える生産者」というのは、まるっきり当時は考えてなかったですからね。

受田：このへんの産みの苦しみはすごくありましたね。

●第1回検討委員会で大激論

受田：そして平成20年6月6日に、産業振興計画の1回目の検討委員会が行なわれています。その時に、委員のお一人に高知県工業会の会長を務める技研製作所社長（当時）の北村精男さんがおられて、この北村さんと尾﨑知事の大激論があったことを思いだします。

その時、なんで大激論になったかというと、尾﨑知事と考え方が正反対だったんです。「県民運動にするためにはボトムアップで多くの県民を巻き込んで議論を喚起《かんき》して、そこから積み上げていかないと本当のトータルプラン、県民運動は展開できない」と考える尾﨑知事と、「トップダウンでなければ物事は動かない、そして明確な数値目標を掲げなければこんなもん絵に描いた餅だ」と言う技研製作所のトップである北村さんが真っ向対立したんです。何よりもトップダウンで数値目標を立て、トップから指示をしてやりたいのは、誰よりも尾崎知事だったと思います。

でもそれを、あえて県民運動でボトムアップにしていったことで今につながっていくわけですけど、とにかくその進め方を巡って大激論になったんです。

岩城：お互いに熱い信念を持ったお2人ですからね。

受田：さらにはっきり覚えてますけど、「産業振興計画に県の予算を投入していくのであれば、その金をうちに預けてくれりゃ10倍にして返す」みたいなことを北村さんがその時言ってまして、それに対して尾崎知事も顔を真っ赤にして反論していました。ほんとに1回目だから、最初に大激論があることを覚悟していた上での話だったんだと思います。まあ、そこから始まっていったわけです。

後になってお聞きしたところ、北村社長の根底にあったのは、これまでの県の姿勢に対する不信感だったようです。要は県は何もしてくれないと…。そこで若い知事がまた新たに何かしようとしたので、本気でやる覚悟を持っているのかどうかを確かめようとしたんでしょうね。

岩城：最初は北村社長のような意見も多かったし、工業会には大きな製造業もありましたし、あまり県に「支援をこういう形でして欲しい」という声は少なかったんです。逆に規制とかもあって、やむなくそれは法で決まっているからっていうのがあって、それに対してすごく反発がありましたね。
ただ県としてやれることとして例えば海外へ売り込む時、その国の省庁の幹部と会うとかは県が窓口となって高知県の防災産業を売り込んでいくなど、北村社長ともご一緒したことがあります。いま技研は、オランダをはじめ海外に事業を展開しています。先日はサイレントパイラーの1号機が機械遺産の認定を受けましたね。県内の製造業唯一の東証1部上場で、高知に技研ありということで存在感を示してくれています。大したものですよ。

受田：北村社長は、サイレントパイラーを一つのキラーコンテンツにして、その後ビジネス展開をしています。東日本大震災が起きる前でしたから、その後その技術が日本はもとより世界で花開いていく、まさに黎明期《れいめい》でしたね。
それぞれ〝ここからだ〟というところで、この産業振興計画の策定をめぐって見解の違いというか、それぞれの主義主張に基づいてみんなの前で大激論したわけです。

岩城：お2人は何度も議論するうちにお互いに理解し認め合って、その後、北村会長はたびたび知事室に来てくれるなど、いい関係になりましたね。
それはそうとして、産業振興計画となると、トップダウンというのは会社の社長ならともかく、県知事がトップダウンで2つに1つということでやるということは、全体的に見てコロナ対策はこういう方向でやりますって決めることもあるんですけど、それは難しい。それをやる時にすべて決めてこうやってやりますということは、やっぱり県知事としてはできませんね。

サイレントパイラー：あらかじめ地中に打ち込んだ杭を掴み、その力を利用して次の杭を打ち込む「圧入原理」を世界で初めて実用化した油圧式杭圧入引抜機。土木工事などで用いられる。

たぶん性格的には、トップダウンという形を取りたかったと思いますけど…。

受田：すごいですよね、のちに1800人を計画づくりに巻き込んでいくということは結局、その矢面に立つということですから…。この段階は本当にご苦労が多かったんだろうなと思います。

岩城：トップダウン型の人がボトムアップの方法を取り入れる、それはなぜか、これについて私が言うのもおこがましいですけど、関わっている人が非常に多いからでしょう。事業は500を超えてある。細かい戦略がいろいろある。大きな方向性も大事。官民協働、市町村との連携ということで市町村を巻き込んでいて、それぞれ部会を作っているわけです。こういうものを例えば予算化をするにしてもなんにしても、農業なら農業、市町村も半分出してくれ、三分の一出してくれという形になるわけです。全県下的に取り組んで計画を作ってますから、これをトップダウンでするというのがそもそも難しいんです。

よく議会とかでも質問があったのは、「計画にある関係者、それから市町村は承知しているのか」という質問。そうした時も、「市町村サイドも事業内容を十分把握し、予算化もしてくれています」と自信をもって答えました。関係者みなさんから、それぞれの部会から、積み上げてきたものが大きな計画となっていったわけですから…。

●1年かけてやっと成案が完成！

受田：もう1つ思い出すのは、平成20年11月の中間とりまとめ、パブリックコメントの時です。策定委員会の委員長を務めていたということもあり、また高知大学で地域連携を同時に担当していたということもあるんですけど、私に課せられた一つの役割は「ここに大学を巻き込むことだ」と思っていました。農業や林業や水産業において、高知大学農学部（現在は農林海洋科学部）の果たす役割はこれから絶対大きくなるだろうな、と考えました。

それでパブリックコメントを県民からいただく時、当時の篠《しの》和夫学部長に直談判というか、お願いをしに行って、「高知大学農学部の教授会としてこの産業振興計画に対するパブリックコメントを出して欲しい」と要請しました。農林水産業に対して今の中間とりまとめに対する総括的な意見と個別的な意見と質問をお願いしたんです。加えて、最終的に「農学部として覚悟を持ってこの産業振興計画における農林水産業に徹底的にコミットするということを宣言して欲しい」と言ったんです。そうしたら篠学部長には快諾いただき、宣言も発出していただいたんです。

結果として専門部会が立ち上がった時に、ここに農学部から研究者を派遣していただきました。それ以来、現在までずっと委員としての派遣は継続されています。

岩城：今まで「何とか委員会」とかたくさんありましたけど、委員の先生方の意見だからと、半分お墨付きをもらうようなものが多かったですね。ところが産業振興計画を契機として、それ以降、本当にいろんな意見が出され始めて、委員会とか審議会とかが実質的に機能するようになりました。

受田：中間とりまとめをしパブリックコメントをもらった後、農・林・水産・商工・観光と連携の部会がそれぞれ7回ずつぐらい、そして本会議を6回やって議論して、決着が付いてやっと成案に至ったのが平成21年の3月25日でした。

最後の会の時に、部会のトップの方に一言ずつもらったんです。その時に、それぞれの人が「もう議論は尽くした」と言うんです。「後はやるのみ」って、ほとんど異口同音にみなさんが言われました。それ聞いた時に、本当に目頭が熱くなりました。もし中途半端に議論を生煮えのまま終わらせたり、ある人の意見を聞いていない状況になっていたりしたら、この言葉は出なかったと思います。要は、県民運動にするために関わっていくありとあらゆる方に徹底的に議論に参画をしてもらったので、あそこまで言っていただいたんだと思いました。

岩城：それは私も感じました。その時は部長就任前でしたけど、後ろの方で聞いていて「すごいな」という感じでした。

その晩、お疲れさん会で初めて杯を交わすことになりましたね。

受田：懇親会をやろうとなって、尾﨑知事が県庁の幹部の方を「一緒にいこう」って誘い、記憶では20人ぐらいだったと思います。県庁の関係者と部会の部会長クラスはみなさんいらっしゃったんじゃないでしょうか。

その時、知事が1人でエネルギー全開で中心になって話をするのを見て、これこそリーダーの姿だと感じましたね。本当にトップダウンでやれる人が、あれだけ徹底してボトムアップを貫いたというところに、産業振興計画の目標を達成し続け、進化し続けている要因があると思うんです。

岩城：飲み会が契機でどうのこうのということではないんですけど、私にしてみたらあの時、委員長、各委員のみなさんと顔合わせをして、たぶんそれまで一切顔を出していなかった岩城という新しい部長を初めて認識していただいたという意味があったと思っています。

受田：その懇親会の時に、委員長として一言挨拶してくれって言われたんで、曽国藩《そうこくはん》という中国の政治家の言葉「収穫は問うなかれ　ただ耕耘《こううん》を問え」を引用させていただいて話したんです。これは、収穫した成果物だけじゃなく、耕して作業をしたそのプロセスの大切さを問うています。１８００人以上の県民を巻き込んで、県民運動にするためにやったこのプロセスにこそ価値がある。もちろん、そこから成果を生み出すことがその後の大切な仕事ではあるんですけれど、計画を作るプロセスにも相当な価値があるということを申し上げたくて、あえて言った記憶があります。

岩城：私の意識としては、産業振興計画を推進する部長職に就くにあたっての不安はありましたが、尾﨑知事と受田先生に助けてもらって、さらにそうそうたるメンバーに助けてもらいながら一つのすばらしいチームができる予感がしましたね。

受田：何もないようなところから始まって1年後にイメージが見えるものになり、ついに形になりました。21年の3月に知事が書いた「ごあいさつ」がここにあります。

「この産業振興計画は本県の産業振興の道筋を具体的に示す県経済活性化のトータルプランである」。ここでトータルプランという言葉が初めて出るんですね。「21年度はその実行元年になる」。この実行元年という言葉もずっと使われていきます。そして、「全県的な県民運動として展開、県庁が誰よりも汗をかいて参ります。常に検証し、見直しを行うことで進化し続ける、実効ある計画にする」。

高知県産業振興計画と高知大学の取組 トピックス

2007年（平19年）12月	尾﨑正直知事 当選（第１期スタート）
2008年（平20年）６月	高知県産業振興計画 策定委員会 キックオフ（第１回）
11月	高知県産業振興計画 中間とりまとめ
2009年（平21年）３月	第１期 高知県産業振興計画 完成
４月	高知県庁に産業振興推進部発足 （初代部長に岩城孝章氏就任）
10月	高知大学土佐FBC開講
2010年（平22年）７月	目指せ！弥太郎商人塾開講
８月	まるごと高知オープン
2011年（平23年）12月	尾﨑県政第２期スタート
2012年（平24年）４月	第２期 産業振興計画
2013年（平25年）9月	高知大学を中心にCOC事業（KICS)スタート
2015年（平27年）４月	高知県産学官民連携センター（ココプラ）発足
9月	高知大学を中心にCOC+事業スタート
12月	尾﨑県政第３期スタート
2016年（平28年）４月	第３期 産業振興計画
2018年（平30年）12月	地方大学・地域産業創生交付金 「IoP(Internet of Plants)が導くNext次世代型 施設園芸農業への進化」スタート
2019年（令元年）12月	尾﨑正直知事退任
12月	新しく濱田省司知事当選（第１期スタート）
2020年（令２年）４月	第４期 産業振興計画

最後のところは「高知の良さや強みを充分に活かす。県民の皆様が将来にわたって安心して暮らすことができる高知県とするため、県民の皆様のご参画とご協力を心からお願いします」。

この短い文章にすべてが盛り込まれていて、今振り返ってみても、上辺だけの挨拶じゃなかったと、改めて見て感動しました。

岩城：これ、すべて知事の言葉ですから。のちのちも「本気で実行」という短いフレーズを出してきたり、いかに短い文章で分かってもらえるかというので続いています。

受田：そして今になってみると、産業振興計画策定のプロセスにおいて、完成バージョンのイメージを現場レベルでは共有できていなかったことは何を意味しているのかというと、やっぱり県庁の職員のみなさんに考えてもらいたいということだったと思うんです。そして、産業振興計画策定委員会に多くの県民を巻き込むということです。

以前に岩城さんと対談した時に、この産業振興計画の策定にかかわっている人が１８００人ぐらい、ある場合は２０００人を超えるということを言っていたことがありましたね。県民運動にするためにはどうしたらいいかというと、みんながこれを作るのに必死に考えて、議論して、そこから出てきた具体的なプランをしたためていくというのが一番だったというわけです。そこに尽きるんだろうなと思います。

岩城：私が産業振興推進部の部長になった時はすでに形が出来上がっていましたからね。この平成20年という1年間の時期があったからこそ、まさしく産業振興計画の実行元年ということで平成21年度があり、実行に移ることができました。あとは尾﨑知事と受田先生におすがりして、私は実行部隊として引っ張っていくだけであったというのは、鮮明に覚えています。

受田：改めて高知県産業振興計画って何だったのかと考えてみると、やはり先ほど言われた、どうやってこれを進めていくか、実行の部分がすべてであったと思います。県民みんなにこれが浸透していき、当時県民運動という言葉を知事が使っておられたことを鮮明に覚えていますけど、要は県民上げてやるんだと、それが計画の本質であり、そこに至るまで県民を本気にさせて、その気にさせて当事者として巻き込んでいく。その巻き込むための計画づくりを1年かけてやり、そしてそれに基づいてあとはやるのみ、ということを明確に打ち出すというところが肝だったと思うわけです。

そういう意味で、やっぱり県民のやる気スイッチを

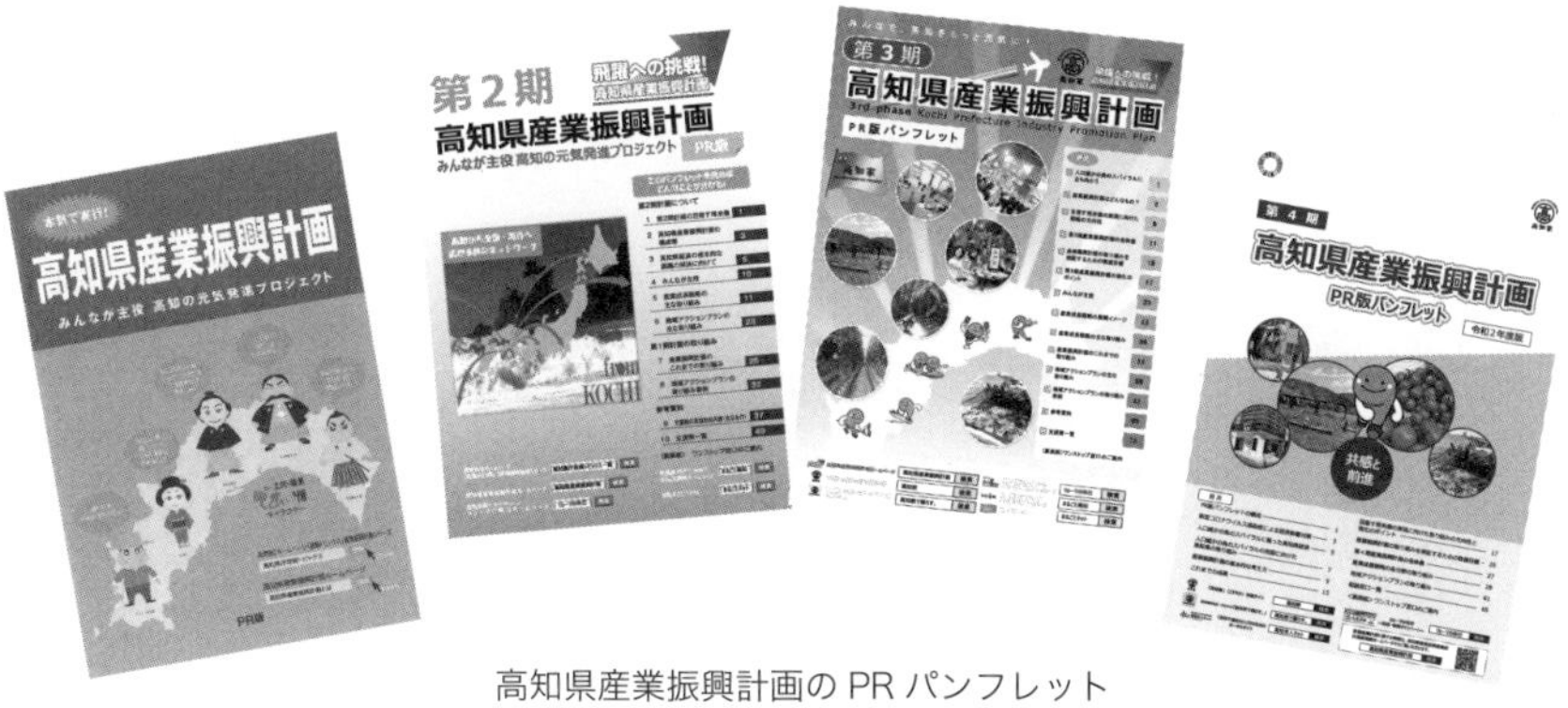

高知県産業振興計画の PR パンフレット
左から、1期目（平成 21 年度）、第2期（同 24 年度）、第3期（同 28 年度）、第4期（令和 2 年度）、

オンにしたということ、そして創造力をかき立てたことが、平成20年度の計画づくり、21年からの実行元年、そしてそれ以降、完全に奏功しているという感じがしますね。

岩城：平成21年の実行段階で出来た第1号のパンフレットは22頁、懐かしいですね。

受田：ここから、知事の任期の関係で産業振興計画の1期目は3年の計画として進んでいくことになるわけですね。

●さあ、計画を実行する体制をつくるため機構改革！

岩城：計画づくりは、今は計画推進課というのがありますが、あの時は政策企画課というのがあって、まさしくそこに岡崎さんと金谷さんがいて、各産業分野を集めていって計画づくりをする司令塔で、知事の指示を出しながら、計画はできていきました。

受田：岡崎さん、金谷さん、お2人を中心にまとめられたわけですね。

岩城：それで、さあ、できた計画をどうする、それには実行部隊がいるでしょ、ということで体制づくりが始まりました。

受田：岩城さんが産業振興推進部長になるところは、計画が最終的に策定をされていくプロセスで見ると、この中間とりまとめをやって、パブリックコメントをいただく場を作り、それを受けて1月にそれに対する回答とか修正案を作る、ちょうどそのあたりですね。

岩城：総務部は庁内の機構改革もやるので、平成20年の12月か翌年の1月くらいには産業振興推進部というところができるらしい、という情報は掴んでいました。

そんなところには行きたくないな、と思ってましたね。それに私は、総務部の副部長になる前は課長だったんで、副部長はまだ1年しかやってない。1年で変わることはないだろうからそのままだろう。しかも、もう1人の副部長が同い年の浜田正博さんで、彼は東京事務所の所長に変わることになっていたから、副部長が2人一緒に変わることないだろう、というつもりで安心していたんです。

機構改革というのは、内部的には4月スタートですけど、一部の幹部に内示されるのは早くて2月ごろです。今でも忘れもしません。2月になり、私は総務部の副部長としても庁内の機構改革のことが気になっていました。課の構成とかが決まっていくのを見た時、「いったい誰が部長をやるんだろう?」って思いました。庁内では「こんなもんやったら体、壊してしまう」なんていう話が出ていましたし…。

そんな思いでいた2月中旬のこと、知事に呼ばれました。いよいよ人事のことかと思いつつ腰を掛けると、いきなり「産業振興推進部長を」って言われたんです。「ええーっ、私がですか?」。もう、めちゃくちゃ驚きました。尾﨑さんとはそんなに接点はなかったので、たぶん副知事の十河さんなのか中澤卓史元教育長なのか、推薦したんでしょう、「彼やったらあんまり気にせんとやるかもしれん」と。それやこれやいろいろと話しましたが、すごいプレッシャーを感じながらも引き受けることになりました。

受田：産業振興推進部ができたのは平成21年4月から、それまで産業技術部などがありましたね。

岩城：企画振興部とかいろんな部があって、千葉さんが企画振興部長だったんです。企画振興部を解体して、例えば市町村振興課は総務部に変わります。企画調整課は衣替えして計画推進課にしました。私は中山間を持ってましたが、地域づくり支援課を産業振興推進部の中に入れたり、第一次産品とかいろんな部の地産地消部門を集めてきて新しい地産地消外商課ができました。そこがスタートだったですね。

ただごとじゃないことをするぐらい力が入っていたし、それぐらい全職員、市町村も入ってましたんで注目されもしていました。もちろん知事の第1の公約というか、政治生命をかけているわけですから、これは大変な役目だなとは思ってました。3月末に緊張しながら部長の辞令をもらって、4月に入ってどんどん進めていくことになります。

受田：考えたら、産業振興推進部ができて、当初は101名とかという体制で、全く新しい部、しかもその回していく計画自体が前の年1年かけて策定されたばかり。さあ、これだけの人を使ってどうやって計画を実行して行くのか、さぞ現場は大変だったと思います。

岩城：とにかく最初から受田先生が策定委員会の委員長であったし、尾﨑知事と受田さんでこの計画は回っているなという印象でした。県庁職員の誰もから「受田さんはちょっとクセがあって話しにくい」とかいう話は一切聞いたことがなく、非常に評判が良かったです。私も先生に初めてお会いした時、みんなの言われる通りのお人柄なんだなと思いましたし、部長と委員長として安心して話とか対談とかいろんな形でできたと思います。私としては、非常にお世話になったし、やりやすかった。

受田：岩城さんが部長をしておられ、その後中澤一眞さんが後任部長になり、ものすごいスムーズに回っていたと思います。

岩城：必然的にですけど、単なるフォローアップ委員会の委員長じゃないんです。いろんな動きがあった時に、知事の意見も聞く一方、その都度都度で委員長に相談すべきことはけっこうあって、「受田先生に聞いておいで」と何度も相談させてもらいました。

受田：私としても、これまでの方針と齟齬《そご》がないのかどうかということを気にかけました。一番気を使ったのはマスコミに対してで、分かりやすく、かつ透明感を持ってやっていけるか…。それこそが県民に対する県民運動として展開をする原点だと思っていましたから。

岩城：言葉の一つ一つに非常に気を使っていただいたと思っています。この事業のチームのトップは尾崎知事ですが、その下の部というところでは私がトップになりますけど、上に助けてもらいながら、下の同僚のメンバーにも助けてもらって、なんとかやることができたかなと思っています。

3　産業振興計画の実行物語
――特に食品産業の振興と人材育成の切り口から

●産業間の連携の部会を立ち上げて産業成長戦略を議論した

受田：「産業成長戦略」に関してですが、農業、林業、水産、商工、観光、そして産業間の連携の部会をそれぞれ立ち上げて、議論してきました。いま振り返ると、私の印象ですけど、雰囲気として全部が同じトーンではなかった気がします。

とくに林業振興に関しては、当時まだＣＬＴ（Cross Laminated Timber：直交集成板）の話とかまったく聞かれない状況で、路網《ろもう》の整備をしながら搬出をスムーズにするにはどうすべきかとか、林業経営者自体をどうやって先細りすることなく維持していくかといった内容がメインで、山の管理を含めて万策尽きた感じでした。他の部会に比べると、色の違う議論をすることがあまりできていなかったですね。

岩城：そうですね。第一次産業の中では、部会の中でも林業分野が一番難しくて、目標のイメージを抱きにくい感じでした。付加価値を付けるというのは、製材して家を建ててもらうとか、そのためのいろんな木材をカットして一つのパッケージにするとかというようなこともありましたけど、なかなか難しい面があったので関係者も理解しにくいところがあったんです。全体的に関係者の中に発言の多い方があまりいなかったので〝わいわい〟という感じではなかったと思うし、意識を一つにして「これこれです」という議論もあまりできなかった面があったかもしれません。

受田：林業について、山を見ると高知県は森林の割合が全国一で、言い換えると木材の「賦存量《ふぞん》」という言葉を使っていましたけれども、莫大な資源がある、ということを知事はよくおっしゃってました。この賦存量というところが一つの象徴なんですけれども、ストックされているものが高知県には眠っているというか、非常に価値のあるものがあるという説明です。これがフローに回されていなかったので価値として創出できていなかったわけです。

岩城：庁内的には、今の「高知おおとよ製材」、銘建《めいけん》工業を呼んでくるということに一番力点を置いてやっていました。それで、実際来てくれたということは、知事が在任中に5つくらい喜んだうちの1つでしたね。

CLT：ひき板を並べ、繊維方向が直交するように重ねて接着した板状の材料。

受田：銘建工業の話は、策定中の平成20年度や計画が立ち上がった21年度、もうその時点で手の中にあったのですか？

岩城：知事が就任した時の林業振興部長が臼井裕昭さんという方だったんですけど、その時点でもうありました。

受田：でも、林業部会として議論している中身にはまだ出てはなかったですね。

岩城：ないです。庁内の本部会議とか、そういう中だけでしたから。それと、中島社長がＣＬＴというものに非常に力を入れていて、「あ、これだよ」ということで銘建工業に来てもらうとともに、ＣＬＴで大きなビルが建つ、ひいては木材需要が飛躍的に伸びる、という夢を持っていましたね。

受田：その話も、すでに庁内的に…？

岩城：庁内的には、まずは銘建工業、それと中島社長と知事がお会いするなかで、ＣＬＴについていろいろ話があったりして、そこからです。だから、銘建工業を誘致しようという話は早かったです。

受田：そうなんですか。私も岡山県の真庭《まにわ》市におじゃましたことがありますけど、銘建工業を取り巻くあの真庭市のモデルを、知事はその時からすでに頭に置いていたんでしょうね。

岩城：そうですね。とにかく林業の現状を打開するためには生産量、需要というのが一番ということで、このままだと先細りして材価はどんどん下がっていきます。大きな需要が見込め、しかも加工して、行く先にはＣＬＴも期待できる、ということがあったので、最初から銘建工業は意識していましたね。

受田：なるほど。ちょうどその頃、産業振興計画の策定の時に、それぞれの部会の進捗や考え方をすり合わせていこうということで、各部会のトップが集まって県の正庁ホールで農・林・水・商工・観光の連携部会を1回やったんです。

一方で、有識者が集まって協議する場を別に設けたんですが、その当時は日本政策投資銀行にいた藻谷《もたに》浩介さんから、森林を含めた今で言うところの持続可能性の部分について、とても活発に意見を出していただきました。今でも時々引用させてもらっているんですけど、千葉大学のＨＰに、「永続地帯」という名前が付いた、再生可能エネルギーと食糧自給率を１７１８市町村全部についてデータ化しているものがあるんです。これをしっかりと見据えて、エネルギー自給率や食糧自給率を上げていくことこそ重要なことで、高知県が産業振興において絶対に忘れてはいけない、あるいは重視しないといけないポイントだ、と藻谷さんが言われていました。

よく考えたら、これは今のＳＤＧｓ（持続可能な開発目標）への展開やＥＳＧ（環境・社会・ガバナンス）投資につながる話で、そのことをすでに13年ぐらい前から我々に対してしっかりアドバイスしてくださってました。このアドバイスは、ずっと後になって、森の資源利用と持続可能性の両立に関する議論へとつながっていくことになります。

●連携部会では食品研究会を立ち上げた

岩城：連携部会では、食品産業の振興を現場レベルで進めていくことを目的として「食品研究会」も立ち上げました。ここでは研究会のリーダーとして先生にはお力添えいただきました。

受田：ええ。商工労働部の工業振興課に立ち上げていただいた食品研究会のリーダーとして指名され、事業者の方々との連携を強化していきました。

岩城：けっこうユニークな活動でしたね。

受田：ユニークと言えばユニークですが、現場レベルでは必死でしたよ。具体的には、３つのレベルで活動を進めていきました。その３つというのは、「義務教育スタイル」「予備校スタイル」「家庭教師スタイル」です。

岩城：ネーミングからして面白いですね。

受田：義務教育スタイルは、高知県の食品事業者のみなさんが必ず身につけていただく必要がある情報や知識の教育の場です。たとえば、基本的な「マーケティング」に関する考え方の講座は、「マーケット・イン」の考え方を徹底的に学んでもらい、売れる商品づくりに関する基本的な商品設計を修得するようにしました。さらに、「食品表示」についても徹底して法律の知識を学ぶ場を設けました。

マーケット・イン：商品の企画開発や生産において、消費者のニーズを重視する方法。

岩城：確かにその頃は、「プロダクト・アウト」の考え方をしている事業者が多かったのを記憶しています。また食品表示についても、法律を理解していないために、一括表示して示さなければならない事項が欠けていたり、手書きの表示なんかもありましたね。

受田：この後の展開で地産外商していく上で、高知県ルールで勝手に表示していれば、法令違反として即摘発されるんですから、そのルールを徹底して学んでもらう必要があったんです。その後、この表示に関しては、現場への浸透が遅いとして、その指導を専門に担う担当者も指名することになりました。

岩城：食品の場合は、表示もそうですが、食中毒などの事故を起こせば一発でブランドに傷が付いてしまいますからね。

受田：そうなんですよ。でも、1アイテムの毀損《きそん》だけではなく、この取組を県を挙げて進めているので、県の食品産業、さらに言えば高知県産業振興計画そのものに傷が付くと考えていたので緊張感はありました。

岩城：確か、先生はよく「アクセルとブレーキ」という表現をされていましたね。

受田：アクセルとは、マーケティングを駆使して売れる商品づくりに全力を挙げていくことを意味していました。このアクセルだけに専念できれば、成果を挙げることはより早いのかもしれません。しかしながら、食品事故を起こしてしまえば、最悪の場合それで終わりですから、慎重な上にも慎重に、衛生環境の整備や維持、今で言う「ＨＡＣＣＰ」について、理解すると

プロダクト・アウト：商品の企画開発や生産において、作り手の論理や計画を優先させる方法。

ともに、導入を進めることなどもメニューとしました。
岩城：ここがブレーキの役目ですね。その後、「高知県版ＨＡＣＣＰ」を制度化するなど、国が義務化する動きの中で、いち早く現場への浸透を働きかけていただきました。
受田：このような義務教育スタイルを学んだ上で、予備校スタイルも有効だったと思います。
岩城：予備校というと、何か進級する前段階が必要な人たちがいたんですか。
受田：浪人というわけではないのですが、同じ目的を持ったグループを作り、その中で共通するテーマを自発的に学んでもらおうという内容です。
　例えば、健康の増進に効果的だと考えている商品があるとします。その健康増進効果、ヘルスクレームとも言いますが、その内容をどのように客観的に表現するか、そのためにはどのような試験が求められるのか、さらにその当時、国の個別許可に基づく「特定保健用食品」（以下、トクホ）は高知県から誕生していませんでしたので、そのトクホを商品化する上での勉強会を立ち上げたということです。
岩城：トクホは誕生したのですか。
受田：だいぶ時間はかかりましたが、小谷穀紛さんからトクホ商品が市場で販売されるようになりましたし、平成27年度から制度化された機能性表示食品も順調に生み出されています。
岩城：大きな成果ですね。
受田：研究開発型の企業が増えればもっと増えていくことになると思います。

ＨＡＣＣＰ（ハサップ）：すべての食品関連事業者が食品の安全管理を確保するために原材料の入荷から製品の出荷までの全工程を管理する危害分析・重要管理点システム。

岩城：家庭教師スタイルは、その名前から考えて、先生が事業者を訪問するということですね。

受田：その通りです。私も含めてチームを編成して、西は土佐清水市から東は安芸市まで事業者の家庭訪問をしていきました。工場のレイアウトを現地で拝見すると、ゾーニングができていなかったり、肉と魚を同じ場所で加工していたりと、指摘事項はたくさんありました。また現地で商品開発の具体的な相談にのり、その実現に必要な考え方とともに、技術として何が足りないか、データとしてどのようなものが求められるのか、などを徹底的にヒアリングしました。工場の規模も含めて、その後その事業者に対して必要な人・モノ・金・情報のすべての点についてアドバイスし、サポートする体制の構築も行いました。

岩城：このような現場での活動が、その後の人材育成のプラットフォームと連動していくわけですね。

受田：やはり欠けているピースが「人」、という結論へと行き着くんですね。

●地産外商の戦略で商品を磨き上げる

岩城：よく覚えているのは、「県民運動にするんだ」といって知事と私が県下の各ブロックを説明して回ったんです。ただ、なかなか理解していただけなかった。「書いてあることはよくわかる」、ただ「今までと同じように計画だけを作って…ということにならないのか、私はそれを心配する」という意見です。それを受けて尾崎知事が何度も、細かい話、今までの分析を含めて粘り強く話をしましたけど、なかなかハードルが高かったという記憶があります。

1年くらい説明を繰り返し、なんとなく少しずつ理解をしていただけたかなという思いになり、県民が本気で考えてくれるようになったなと思ったのは1年半くらい経過してでしょうか。その頃はちょうど、地産外商公社を作り、アンテナショップを作るという時でした。アンテナショップのオープンは平成22年の8月、その前段の21年8月に地産外商公社は設立されていました。

アンテナショップというのは県民にすごくわかりやすかったんです。最初はものすごく反対があったんですけれども、こういうものを売り込んでいくんだということに対して、県議会においても「どういう品物を売るのか」「商社機能は持つのか」「レストランのメニューはどんなものか」「動線はどうなっているのか」など、そんな質問が知事と私にどんどんありました。非常に興味を持っていただいて、県議会議員の先生や多くの県民のみなさんから意見をいただいたことが、地産外商に関して理解のきっかけになったし、それだけじゃなくて産業振興計画全体を理解してもらい始めたと感じることにつながりましたね。

受田：なるほど。産業振興計画を中心に置き、これを推進する尾崎県政、それを副知事として岩城さんがしっかり支えられて次第に変わり始めたわけですね。

岩城：地産外商公社を通した成約件数は当初200件足らずだったのが、今や1万件になっています。これはやっぱりすごく誇らしいし、業務を離れた今でもこういうことに携わってきたんだなと感じることができます。

受田：これも尾崎知事発だと思うんですけど、「課題先進県」という言葉を使われるようになりました。この「課題先進県」から「課題解決先進県」へ変わっていこうとする変革の意識、これも強烈に強かったですね。

岩城：この「課題先進県」は尾崎さんがよく言ってましたね。「課題先進県」というのは例えば、高齢化率の上昇が全国に比べて10年早いとか、人口の自然減が全国と比べて15年早いとか、課題を後ろ向きに捉えるのではなくて、前向きに捉えるという表現です。

受田：その10年、15年、日本を先取りしている、課題が先に顕在化していく、これを課題先進県と呼ぶ。だから、一番先にその課題に立ち向かっていく立場に置かれているということですね。したがって、その課題解決の方法は世界に先んじてオリジナリティのある方法を策

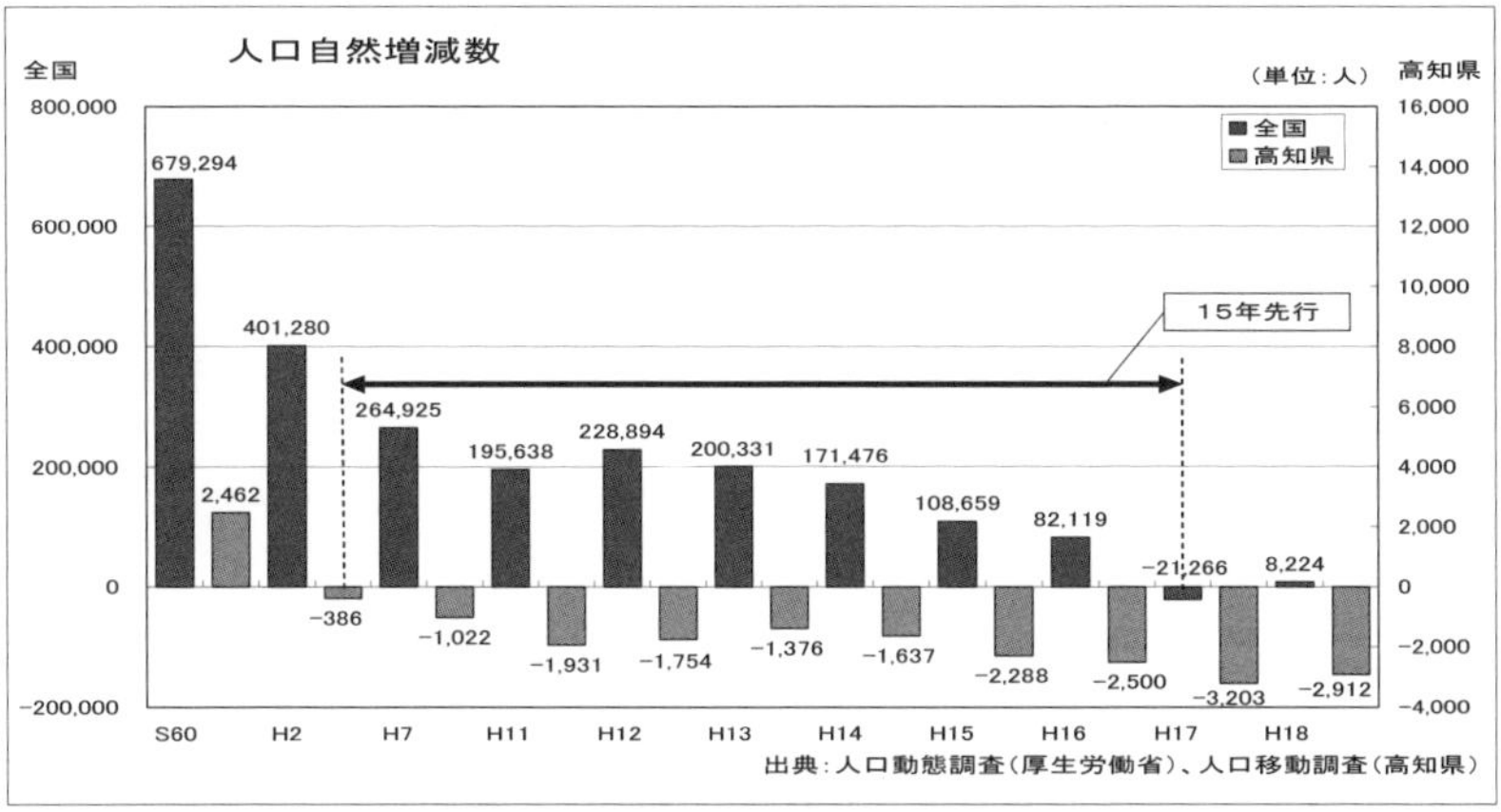

産業振興計画 総論（平成21年6月）より

定もできるし、それ自体がことによったら知財になっていくのかもしれない。まぁ、このあたりの置かれている状況を逆手に取ったのは大きかったですね。

岩城：そういうハンディ、課題に対して、高知県はすでに立ち向かっています、高いハードルをどう越えていくかをすでに経験しています、ということはよく尾﨑知事がおっしゃっていました。

受田：ちょうど尾﨑県政の立ち上がりの頃は、まだ大企業を誘致してくる、あるいは工場誘致によって一気に雇用を増やしていく、そのためには税制優遇を含めて県として精一杯のことをやるというのが一般的でした。三重県の亀山の話であったり、全国的にはいろんな事例がありましたけれど、そこをうらやましく思いながら見ていた時代だったんじゃないでしょうか。

岩城：そうですね。尾﨑知事の1期目くらいまでは、「企業誘致」というのを非常に重要視していまして、こういういい話が来たと言うと、すごく喜んでいました。

でも、そもそも高知県は大きなハンディを持っているわけです。近い将来に南海トラフ大地震が来て34メートルの津波が来る、そういう所にはなかなか来てくれません。競争して負けないようにどーんと補助金を出す、でもそれも限界があるよね、そしたらどうするの?となった時に、高知県の強みを発揮するような、いわゆる補強型・波及型の誘致に軸足を置こうという考えになるわけです。もちろん、そんなに設備投資を伴わない業種、例えばコールセンターであるとかベンチャー企業をいくつか呼んでくることは進めます。そこから発展して雇用が2

倍、3倍になっているようなところもありますので、それを誘致することはやります。

そしてメインは、やはり強みを生かした企業誘致で、例えば次世代の園芸、農業。それを基幹にして日高村であるとか四万十町であるとかの例にあるように、県として堂々と自信を持って誘致して、それが県とつながり、もう切っても切れない縁を作り、そこからさらなる発展を探る、というようなことを2期目くらいから力を入れて進めました。

さすが尾﨑知事だなと思ったのは、そういう方針を明確にして、そこへの戦略をしっかりと描いていく、舵を巧みに操ることです。そこは県の幹部も「あ、そうだな」という感じでしたね。そういう時にルネサスの撤退があって、ほら見ろ、と。けれど、あの撤退も単に「終わりました」で終わらないように、指をくわえて送り出す訳ではなくて、進出から撤退までの間の、県とルネサス社の間で交わしたさまざまな協定や県の支援策実施の経過などを調べるなどして県にとっても一定のメリットのある条件を引き出すことができました。

受田：当時の流れからいくと、そういう企業誘致的な特効薬を探したいところです。しかし、いち早くその戦略から切り替えて、「足下を固め」内発的に進化していくんだということに基軸を据えた。産業振興計画の計画策定の段階でもＳＷＯＴ分析をやり、強みをいかに伸ばしていくか、弱みをいかに克服していくか、外的な機会や脅威をしっかり捉えて進めていきましたからね。多分どこよりも先に、内発的に進化していこうという考え方を明確に持って長期的戦略を採ることに舵を切っていったと、いま振り返ると言えるのではないかと思います。

岩城：一挙にうまくいくことではない、ということは知事もわかっていましたし、進捗状況も枝が1つ、また1つできた、それを楽しみにしながら、というところはありました。

受田：そういうふうにまるでガーデニングのように育てていきながら、域内でできたものの価値を外に売り込んでいく。岩城さんがおっしゃった地産外商の考え方。域内だけでお金を回していっても、人口が減少していき、経済規模がシュリンクしていくなかでは限界がある。だから、域際《いきさい》収支をいかに改善していくかということで、いいものを域外に売っていく地産外商の戦略を立てられた。ここはもう本当に大正解だったと思うんです。

産業振興計画策定の際の SWOT 分析

強み	安全でおいしい食、多様な一次産品	×	脅威	県外製品の流入や県外資本の進出
強み	安全でおいしい食、多様な一次産品	×	脅威	集客交流競争・産地間競争の強化
強み	安全でおいしい食、多様な一次産品	×	機会	安全・安心、環境、健康の時代
弱み	人口減少、少子化・高齢化、若者の流出	×	機会	食の安全・安心、健康志向 日本食ブーム
弱み	大消費地から遠距離（地理的ハンディキャップ）	×	機会	情報化の進展

強み	安全でおいしい食、多様な一次産品 貴重な自然と歴史資源	×	脅威	集客交流競争・産地間競争の激化
強み	安全でおいしい食、多様な一次産品 貴重な自然と歴史資源	×	機会	安全・安心、環境、健康の時代
弱み	大消費地から遠距離（地理的ハンディキャップ）	×	機会	安全・安心、環境、健康の時代
弱み	製造業分野での産業集積度が低く、 小規模・零細事業者が多い	×	機会	安全・安心、環境、健康の時代
弱み	食料品製造品出荷額等が少ない	×	機会	安全・安心、環境、健康の時代

強み	豊富な森林など中山間地域の資源	×	脅威	国・地方の財政悪化、公共事業の大幅減少
強み	安全でおいしい食、多様な一次産品	×	機会	長期的には食料不足
強み	優れた人材、技術力	×	機会	高齢化が進み、医療・介護の需要が増大
弱み	人口が減少、少子化・高齢化が進む	×	機会	都市部中心に求職者が増大

産業振興計画 総論（平成 21 年 6 月）より

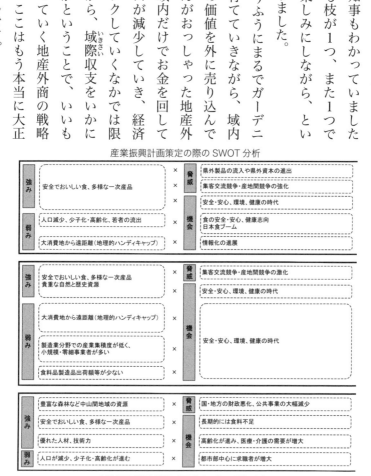

もう一方で、当時知事が言われていた「マーケット・イン」の考え方。「プロダクト・アウト」ではモノは売れない。マーケット・インで考えないと買ってもらえないんだ、というところですね。このプロダクト・アウトからマーケット・インへという意識の変革、ここも相当重視してこられていたと記憶しています。

岩城：産業振興計画全体でいかに結果を出していくか。それは、今までのように、これを作るのが得意だから作りやすいから生産するんだということじゃなくて、マーケット・インの精神、つまり買い手が何を欲しているか、そこをチェックしていくんだ、と。ＫＰＩというのか、そういう状況を逐一チェックしていく。尾﨑知事は毎日のいろんなデータをしっかり見て、朝も夕方も一喜一憂していましたね。そういう発想というのは、全体的にこの計画の基本的な考え方かなと思います。

受田：そうですね。もともとモノがいいということはわかっています。それを、市場から受け入れられる価値へと磨き上げていくことが重要というわけですね。「磨き上げる」という言葉も産業振興計画におけるキーワードの1つだと思いますけど、相当使っていましたね。

岩城：使いましたね、ほんとうに。例えば、「新商品を出しても売れない」といったことがあれば、試食とかしてもらいながらいろんな感想をいただき、改良を加え、最終的に全然姿が変わるという商品もありましたし。「なぜ売れないの？」ということを、人材育成とも関わるんですけど、「土佐商人《あきんど》塾」（後述82頁）であるとか、いろんなところでやりました。「もうイヤになりました」「も

シュリンク：退縮

KPI：重要業績評価指標

てるのよ！」と言いながら、カツを入れて…。

うあきらめました」という話が出ると、土佐商人塾の講師の臼井純子先生あたりが「なに言っ

受田：叱咤激励する…。

岩城：「だから言ったでしょ」というようなことで、最後、終わってみればちゃんと形になっ

ているという「磨き上げ」…、懐かしくも厳しい言葉ですけどね。

受田：いやいやほんとに。ある時から何か「磨き上げ」という言葉がやたらめったら使われ

ていることに気づきました。最後のほうは、観光振興部で最も「磨き上げ」という言葉が使わ

れているような印象がありましたね。

岩城：ありました、ありました。

受田：このプロダクト・アウトからマーケット・インは、岩城さんもおっしゃったように人

材育成と完全に通底しているところがあると思うんです。これ、ある意味、まったく逆の視点、

意識の変革だと思うんです。どうしても自分たちの周りにあるものはいいものだというふうに

偏った考え方を持ちますけど、売れるものづくりとしては、徹底的に自己否定をしなければい

けないし、外の情報を基に商品設計していかなければいけないんです。さっきアンテナショッ

プの話がありましたけれど、外の視点をいかに域内に持ってきて、客観的かつマーケット・イ

ンの視点でものづくりを進めていくかというアンテナをいくつも設けていった、というのが恐

らくここにつながっています。「テストマーケティング」という役割を期待していましたね。

岩城：幕張メッセでやる日本一の商談会であるとか、私もずっと全国を回りましたが、ひとつ外商活動をとってみても、やはりバイヤーさんの「これじゃあだめ」という意見は非常に大きかったですし、高知にバイヤーさんをお呼びして商品の作り方とか衛生管理とか、そこまでクリアしないとダメなので、それはそれで熱心にやりました。

また、えてして昔からある商品、昔から作っているものは評判がいいと絶対的な自信があって変える発想を持っていなかった商品を、例えばビンではなくて簡単に開け閉めできるプラスチック容器に変えることで売り上げが全く変わるとか、そういうこともいくつか経験しました。

受田：いろいろお話をうかがっていて、産業振興計画がなぜその後ずっと回り続けているのかをふと考えていました。おそらく話の最後にご意見をうかがうことになる「この計画はこれからどうなるんでしょうね」という観点で考えると、「実は簡単に終われる計画じゃない」という結論に至るんではないかと思っています。なぜかというと、先に挙げた永続地帯という示唆に富む話をしっかり肝に銘じているからなんです。永続していかなければならない地帯であり、地域であり、そのために永続していく考え方を我々は計画の中でどんどん具体化していき、回し続けていかなければならないということではないでしょうか。

岩城：そうだと思います。永続するために何が足りないのか、それは地元でできないのか、ということから産業振興計画は始まっていますから。

受田：ここはまさにかつてのように借り物競走で工場誘致をやって、一気に雇用の場ができましたという話とは、まったく次元が違います。永続地帯という精神は、ぜひ意識しておきたいなと思っています。

岩城：企業誘致から内発的進化へと形を変えていく方向に舵を切った尾崎知事は、そういう強い意識を持っていたと思います。

●産業振興計画の1つの大きな柱である人材の価値

受田：地域や産業の将来を見据えた時、「やっぱり人だよね」という考え方があって、人材の価値というのは産業振興計画の1つの大きな柱でしたね。

岩城：間違いなくそうです。尾崎知事も大学時代は経済学をやっていましたし、産業振興計画の最初のパンフレットにも人材育成の重要性が書いてあります。当初は研修の充実や食品加工の技術支援などで、本格的な取組はもう少し経ってからでしたけど…。

話が飛躍するといけませんが、私も産業振興推進部長になり副知事になった時に、先ほど言われたことを考えたことがあるんです。この産業振興計画は一体いつ終わるのだろうか、いつまでやるのだろうか、どういう形で収束するのだろうか、と。何かを志している県民の方がいる限りは行政として何らかのお手伝いをするべきだろうけど、全体的にこれで一段落ついたというのはどういう時なのか？ これを考えた時に、やはり人だと思ったんです。志を持った人が売り込んでいくノウハウをしっかり持っているとか、きっちり事業を承継してくれる人がいるとか、です。そういう人材が高知県にしっかり集まってくれた時に「あぁ、ひと息ついたな」と言えるのかな、そんなことを考えた記憶があります。

受田：その人材に関してですが、高知県が産業振興計画を策定した平成20年度に、高知大学は文部科学省科学技術振興調整費で土佐フードビジネスクリエーター人材創出事業・土佐ＦＢＣを立ち上げたんです。

高知県産業振興計画の産業成長戦略の「連携テーマ」に、本計画の重点領域として「食品産業の振興が当初から盛り込まれていました。一次産業を基幹産業とする高知県において、その付加価値を高め、「地産外商」によって域外から外貨を稼ぐには食品産業の伸び代が大いに期待できると考えたからです。

その一方で、大学の立場から地域の産業振興を見た時に、食品産業の振興を目指すためにはその産業を支える中核の担い手が明らかに不足していると感じていました。そこで地域の高等教育機関として、本産業を成長に導く中核人材を育成するプログラムを企画・実施し、担い手不足の解消を目指すことにしたんです。

岩城：土佐ＦＢＣは高知県における食品産業の中核人材の育成が目的ですね。その開講式に私も知事の代理として出席しました。

土佐フードビジネスクリエーター（土佐 FBC）人材創出事業

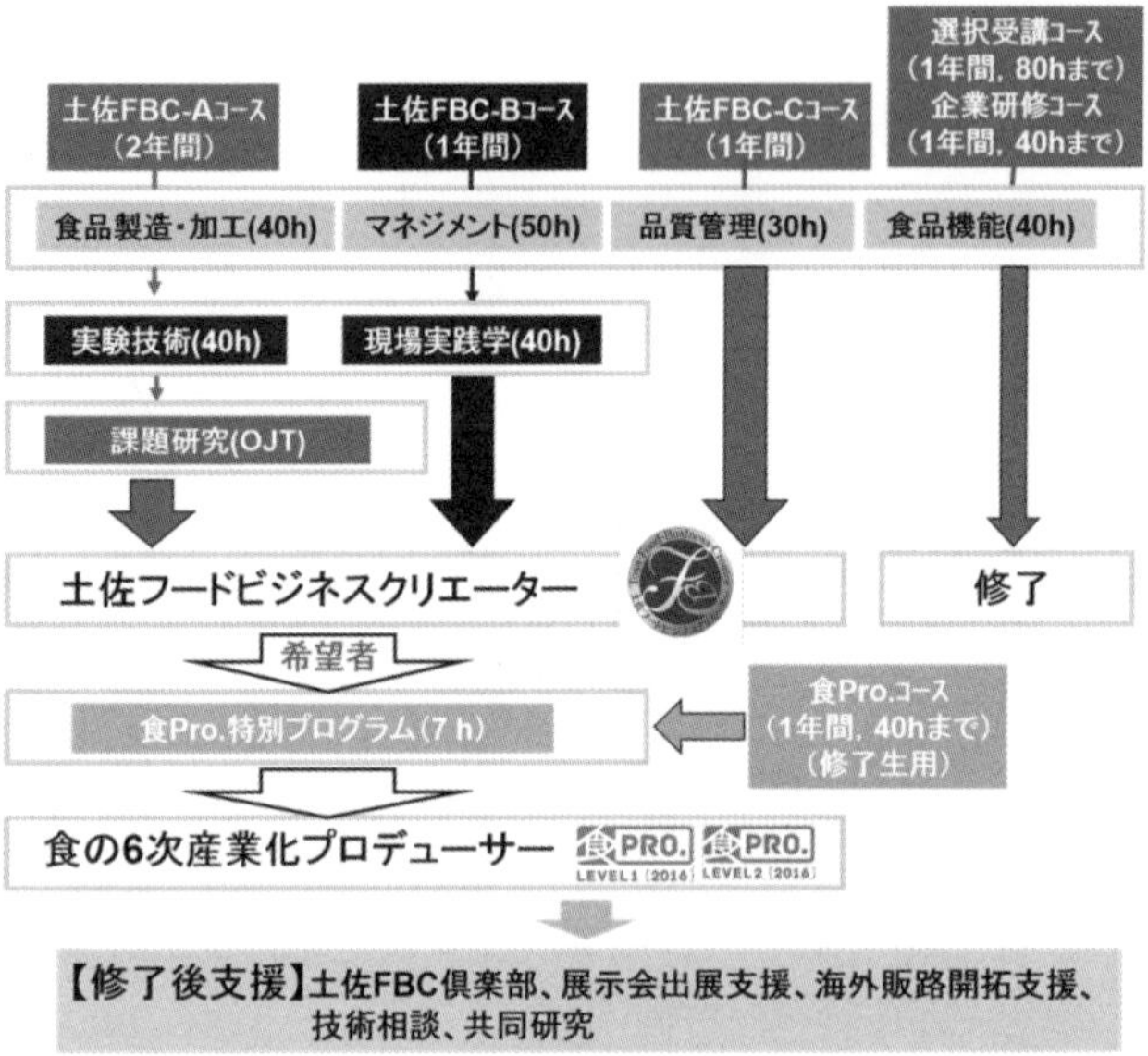

（平成 29 年度の土佐 FBC 養成プログラム）

A コースは食品企業の経営者、B コースは工場や商品開発の責任者、そして C コースは経営者感覚を身に付けた一次産業従事者を養成することを目標に掲げた。座学は食品製造・加工、マネジメントなど 160 時間、演習は成分分析などの実験技術 40 時間、微生物管理などの「現場実践学」40 時間、そして各企業から持ち込んだ課題を土佐 FBC 専任教員がマンツーマン指導する「課題研究」をプログラムの柱とする。A コースは 2 年を掛けてすべてを受講する。B コースは座学とどちらかの演習、そして C コースは座学のみを受講する 1 年コースである。平成 28 年度から、食の 6 次産業化プロデューサーの資格取得も可能となった（レベル 1 と 2）。発足後に同窓会組織も立ち上がり、受講生は修了後も継続的な交流と連携を図っている。

講師は高知大学の農林海洋科学部、医学部、地域協働学部の教員に加えて、高知県立大学や高知県工業技術センターの教員、研究員をはじめ、国内各地から各分野の第一線の講師を揃えている。錚々たる講師陣が講座のクオリティーを支える最も重要なポイントである。受講生は県内の食品産業事業者、農業生産者、ＪＡ，流通、自治体職員など多彩である。

平成 30 年度以降は第 3 ステージ、すなわち「土佐 FBC Ⅲ」として展開し、令和 3 年度で 14 年目を迎えている。土佐 FBC Ⅲでは、これまでの「課題研究」を深化させた「アドバンストコース」を設置した。そして、高知県内の食品産業における研究開発人材の養成目標をミッションステートメントに盛り込み、運営予算的にもⅡよりも大きなスケールで進めている。

受田：今思えば、これって、ものすごい巡り合わせだったように感じます。一方では、産業振興計画の策定を6月から始め、ちょうどその頃から体制を整備して10月に土佐ＦＢＣはキックオフしましたので、産業振興計画の1つの肝になる人材育成につながっていくプラットフォームを大学が先行して実施したわけです。

岩城：食品、食料というのは非常にウエイトが大きいですね。しかも、やりようによっては大きく変わってくる。観光なんかもそうですけど、食品産業というのはいろんな形があって、多くの人が携わっているという点で1つの大きな魅力です。『じゃらん』のアンケートでも「地元ならではのおいしい食べ物が多かった県のランキング」でずっと上位にきていて、それがきっかけで高知に来てくれ、高知を気に入ってくれるようになるというのは、やっぱりおいしいものがあるということですよね。

受田：それから、産業振興計画がスタートして3年目になる平成23年から、土佐まるごとビジネスアカデミー「土佐ＭＢＡ」が立ち上がってきます。ここは非常に重要だと思うのですが、県庁内での経緯というのはどんな感じだったんでしょう？

岩城：そういう食料産業を担う基幹となる人材であるとか、人材育成については県としても土佐ＭＢＡとか土佐商人塾とか、数え切れないほどのいろんな取り組みをしました。

もともと私が部長の時に人材育成については念頭にあったので、最初は土佐商人塾を臼井先生とかにいろいろお世話になりながらやったんです。ただざまざまな分野で、自らが何かをやってみたい、勉強したい、という声が聞こえてきました。それで計画推進課の中のチームで、具体的にいうと、産学官民連携起業推進課長の片岡千保さんがチーフとしていましたが、そういう学びの場、やりたいことのための座学、サテライト教室といった構想ができてきました。

土佐ＭＢＡは、いろんな形でコーディネーター、専門家の方に指導してもらう、それを対面方式でやる場として、どんどん学びの場を増やしていき、今では講座も数え切れないほどあり、受講する生徒もすごく広がっていったんです。受田先生にも最初の頃、コーディネーターとしてやっていただいていました。

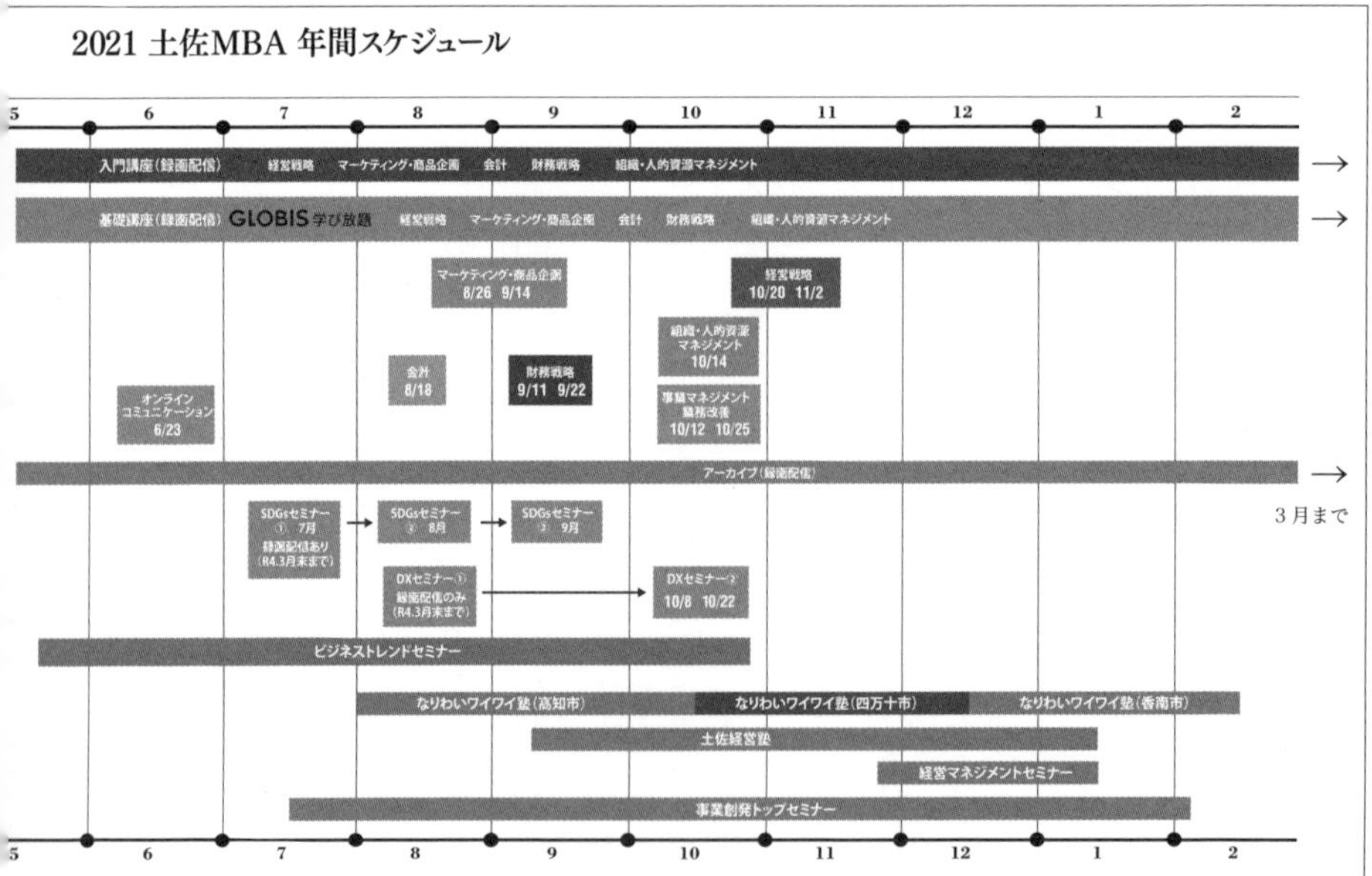

「土佐まるごとビジネスアカデミー2021」パンフレットより

けれど、今は苦戦しています。というのは、やっぱり対面方式が売りだったことがあるんです。対面方式や実際にものを見たりするというのが売りだったんですけど、今はそれが新型コロナ禍でできなくなりました。しかし、いつまでもそんなことを言っていても仕方ないので、いろんな全国的なネットでの受講方式を今年から採り入れたりしました。けど、なかなか集まってくれない、ということがありましたね。

ただ、県庁の職員もこの講座を受けましたし、この講座をやることによって勉強になりました。こんな講座もあるのか、こういう切り口もあるのか、こういうことをしたいという人たちがこんなにもいるのか、というようなことが、土佐MBA、ココプラ（高知県産学官民連携センター）など、全体の取組を通してわかったかなという気がします。

受田：この土佐MBAについては、尾﨑知事も「丸ごとビジネスアカデミー」という名前からMBAだって、ある意味「Master of Business Administration」という一般的なMBAとはちょっと違う、少し茶化したような話をしていました。ただ、都会に行けばビジネススクールがどこにでもあるのに高知にはない、ここが問題である、というところに端を発していたと思います。

結果的に、片岡さんらがご苦労されて作っていきました。土佐FBCを含めて専門知識や専科といわれるような時代もありましたけど、そういうものをしっかりプログラムの中に落とし込んでいき、組み立てていって、県民の学び、あるいはイノベーションを起こしていけるようなアントレプレナーの育成に直接関わってきた、ということだと思うんですね。

その一方、我々大学人からすると非常に情けない部分もあって、これだけ県民のみなさんが社会人の学びの場を求められているにもかかわらず、今どきに言うとリカレント教育のニーズが非常に高いんだから高等教育機関はもっとやれよ、という話があったんじゃないかなと思うんですが…。

岩城：これをやるについて、人数的なもの、たくさん人を集めなくてはいけないといったことだけじゃなくて、例えばいろんな相談だとか、起業しようとする人があった時には個別の相談も受ける体制を構えていましたし、そういう意味で、結果として大学の先生方のお力をものすごくお借りしてやっているんです。言ってみれば、産業振興計画を起点として直接接触した人たちの成長とか要望であるとかをこまめに聞くような体制というのを、まずは作ろうじゃないかということです。

産業振興計画を振り返ってみると、バージョン○○というように、ずっと続けてやっているのはたぶん、携わってきた人や一般の人たちからの「こういう課題がある」とか「ここがうまくいかないんだけど」という意見に対して全部対応しているからなんです。ですから、第3期のバージョンはパンフだけでもすごい厚さになっている。

そういう意味で、先ほど「これ、一体いつまで続けるんだろうか？」ということについて、人材が集まればほぼ成功じゃないかということを言いましたけど、そういう要望、要望に対する磨き上げ、バージョンアップしていく、ということから考えると、これはずっとやらなくてはいけないのかな、と…。

受田：そういう意味では、もちろん大学はまったく関わってないわけではありませんでしたし、県が主導して土佐ＭＢＡを立ち上げ、小回りが非常に利く状態で、必要なプログラムを毎年バージョンアップしていき、そこに大学の教員もできるだけ協力しながらご一緒していくという体制だったという形も高知県らしくて、ある意味よかったんですかね。

岩城：そうですね。ご協力いただくという形にはなりましたが、今となっては最初から一緒にやればよかったかなということもあるんですけど…。それは、大学のほうに「こういう課題があるんだけど」ということで照会をして、その先生を若干見極めというと生意気ですけど、させていただき、ご紹介をいただいてお世話になるという形でしたね。

ココプラをつくる時も、レイアウトとか、個々の相談場所だとか、もっと教室がいるとか、少しずつスペースを広げていきました。ですから、土佐ＭＢＡは小さな1つの島、チームから始まったんですが、そこでの取組は尾﨑知事が人材育成するうえで非常に重要だと考えていたんだと思います。

受田：産業振興という面で見た時に、他の都道府県においては、時間のかかる人材育成を行政自らがプログラム化して、それを切り盛りしていこうと考えるところは、たぶんなかったんじゃないでしょうか？

岩城：たぶん、ないでしょうね。

受田：人材育成は一番エネルギーがいることですし、すぐに形にならない。もちろん、活躍する人たちが出てきて、こういう商品を作りましたとか、ビジネスがこれだけ拡大しましたとか、それはある意味、成果の1つになるかもしれませんけど、1つのアクションが起こってそれで終わりじゃないですもんね。だから、人材育成というのは、やっぱり相当勇気が要ったんじゃないかなと思うんです。

岩城：それと、もう一つの狙いとしては、産業振興計画がなかなか理解されなかった部分もある中で、いろんなことにチャレンジをしてちょっと芽が出始めた人とか、商人塾とかの集まりの中で成功事例というのもぽつぽつ出てきたんです。土佐ＦＢＣもそうであるように、1期生の中で広く全国的に売り上げがぐーんと伸びたということがあり、「それはなぜ？」ということを2期生の前で発表していくとか、1期生同士が集まって情報交換をするとか、2期生に対して経験談を話すとか、人と人とのつながりの場を提供するとともに、そのことが最終的に人材育成につながるということもありました。そんな形でやりましたので、尾﨑知事はあまり時間のかかることは好きではないんですけど、これについてはずっと時間をかけていきましたね。

受田：だからこそ大学としても、リカレント教育の持っている意義や地域を背負っていく価値の部分で、相当気合を入れないといけないと思います。その点においては土佐ＦＢＣを通じて、その後、土佐ＭＢＡを拝見しながら、県の持っている財産としてどういうふうに発展をさせていくのか気になっています。苦悩されておられる状況を踏まえつつ、現場で一緒に汗をかいていかないといけない部分だと思います。

岩城：そうですね。受田先生がお偉くなられて、お忙しくなられて、土佐ＭＢＡとのつながりが最近薄くなったと、片岡課長が寂しがっていましたよ。

受田：そうなんですよ。ココプラに行くことがほとんどなくなってしまって…。ココプラの今後というところも、この土佐ＭＢＡと完全につながっていくし、一定の期間が経って役割がバージョンアップしていかないといけないので、お互いに議論していかないといけないと思っています。

岩城：杉本明さんとか澤田博睦さんとか、地道に真摯《しんし》に取り組む人材をセンター長に送り込んでいましたからね。

受田：そのご縁はずっとつながっております。

岩城：話は少し脱線しましたが、さまざまな人材育成の場ができて、育成された人材の事例も増えていきましたね。

受田：一人ひとり挙げたらきりがないですが、例えば日高村の「ＮＰＯ法人日高わのわ会」事務局長の安岡千春さんは土佐ＦＢＣの２期生として多くの受講生と机を並べて勉強されました。彼女はとても素直で、周りの意見をしっかりと受けとめ、そして自らの課題に反映していくことを心がけておられました。その当時はNPOが立ち上がったところで、村の特産にしたいトマトの加工品の開発や、その売り上げによる雇用の場の創出を目的にされていました。その後、FBCでの学びが多くの友を育み、そのつながりも活かしながら加工品としてもコンスタントな売り上げを持つ商品を開発しました。

岩城：確か安岡さん、安倍総理（当時）の国会での所信表明演説で取り上げられましたね。

受田：平成30年1月の通常国会でのことです。冒頭の安倍首相の所信表明演説で「地方大学の振興」が話題になったんです。その中で「高知大学で、食品ビジネスを学んだ安岡千春さんは、日高村で栽培されたトマトを使って、ソースやジャムの商品開発に挑みました。今や全国から注文が集まり、年間1千万円以上を売り上げる人気商品。特産品のトマトが新しい付加価値を生み、日高村の新しい活力につながっています」と紹介されたんです。ちょうどこの日、産業振興計画のフォローアップ委員会を開催をしていて、尾﨑知事と一緒に喜んだことでした。

人材育成は時間はかかりますが着実に成果が生み出せることと、その育成された方々がさらに地域で人を育てるので、地域に対する効果はあるところを過ぎると加速度的に大きくなっていくのを実感しています。

●地域アクションプランの展開と地域本部を通した県と地域の関わり

受田：私どもＣＯＣの事業（後述　頁）で、県の地域本部にユニバーシティ・ブロック・コーディネーター（ＵＢＣ）と称して大学の教員を送り込み、それぞれの地域本部と大学が一体的にその地域課題の解決に取り込んでいくような体制を構築しました。そしてその後、ＣＯＣ＋（後述●頁）では、学生の地域内定着をより上げていく具体的取組として、「地方創生推進士」という資格の新しいプログラムを作り、数値目標を掲げて定着率をアップさせていこうと取り組んでいます。さらに、平成27年度には地域協働学部が立ち上がります。

　このあたりについて少し大学の視点を紹介させていただきながら、県の産業振興計画あるいは地域アクションプランとの連携という部分でお話をしていきたいと思います。

岩城：いろいろと話は聞いておりますので、あまり詳しくないですがわかる範囲で…。

受田：地域アクションプランは、産業成長戦略とタテ糸ヨコ糸みたいな関係だと思っているのですけど、地域から自発的かつ意欲的なプランがどんどん提案され、各地域本部においてそれらがしっかりと議論され、県の補助も受けながら進めていくという形で取り組まれました。最初221件だった数が、その後もずっと230件とか同じくらいのペースで続いています。

岩城：結果として、そうなっていますね。

受田：最初アクションプランができた時に、まあ200というのはありうる数字かなと思いつつ、産業振興計画が毎年進化していくと、それが何千にもなるんじゃないかなと立ち上がりの時に思ってましたけど、結果的には大体同じくらいで推移しています。

岩城：まぁ、単にひとつの商品で地域アクションプランということでもない部分もありますし、そこは選択と集中ではないですけど、「効果が出ないから、これはアクションプランから外しましょう」とか、「こういう理由でアクションプランに加えますよ」「新たにこういう取り組みをするので入れますよ」とかいう作業のあくまで結果であって、数字的に230をメドにしたということは一切ないんです。

受田：終了したものとか評価がよくなかったものとかある中で、毎年見事にそれくらいの数字を出している。

岩城：アクションプランの中でも、見直しをするとか、ちょっと視点を変えるとか、目標を変更するとかというのはあります。

受田：地域本部が7つあって、そこに振興監が7人います。アクションプランが実質化するためには、それぞれの地域本部の役割が相当重要だったと思うんですが…。

岩城：重要でしたね。人選も含めて、最初は大変だったと聞いています。

受田：最初は少なかったかもしれませんけど、その後、確か70人くらいの体制になっていますね。

岩城：本部に座っている者は初めの頃は、振興監と、あと2、3人くらいでした。その後、本部の振興監室に座っている地域本部の総括「地域産業振興監」として辞令を出して、その他に各役場にいる60何人の「地域支援企画員」として辞令を出して、そういう形でいうと全部で70

数人はいましたね、今もいますけど。

受田：これも、相当特徴的な県の戦略だと思うんです。

岩城：当時、「県がそんなことをやるというのは聞いたことがない」とみんなから言われましたね。でも結局、そういうことがきっかけとなって、総務省が「地域おこし協力隊」とかいろいろ制度を作っていったと思います。私なんかにも問い合わせがあった記憶があります。

受田：高知県独自の「集落活動センター」も、そこからつながっていくわけですね。

岩城：そうです。

受田：この地域本部が充実していることは、ある意味、県の施策を各自治体・34市町村にしっかりと伝え、そして支援していくという意味で大きな効果を発揮している

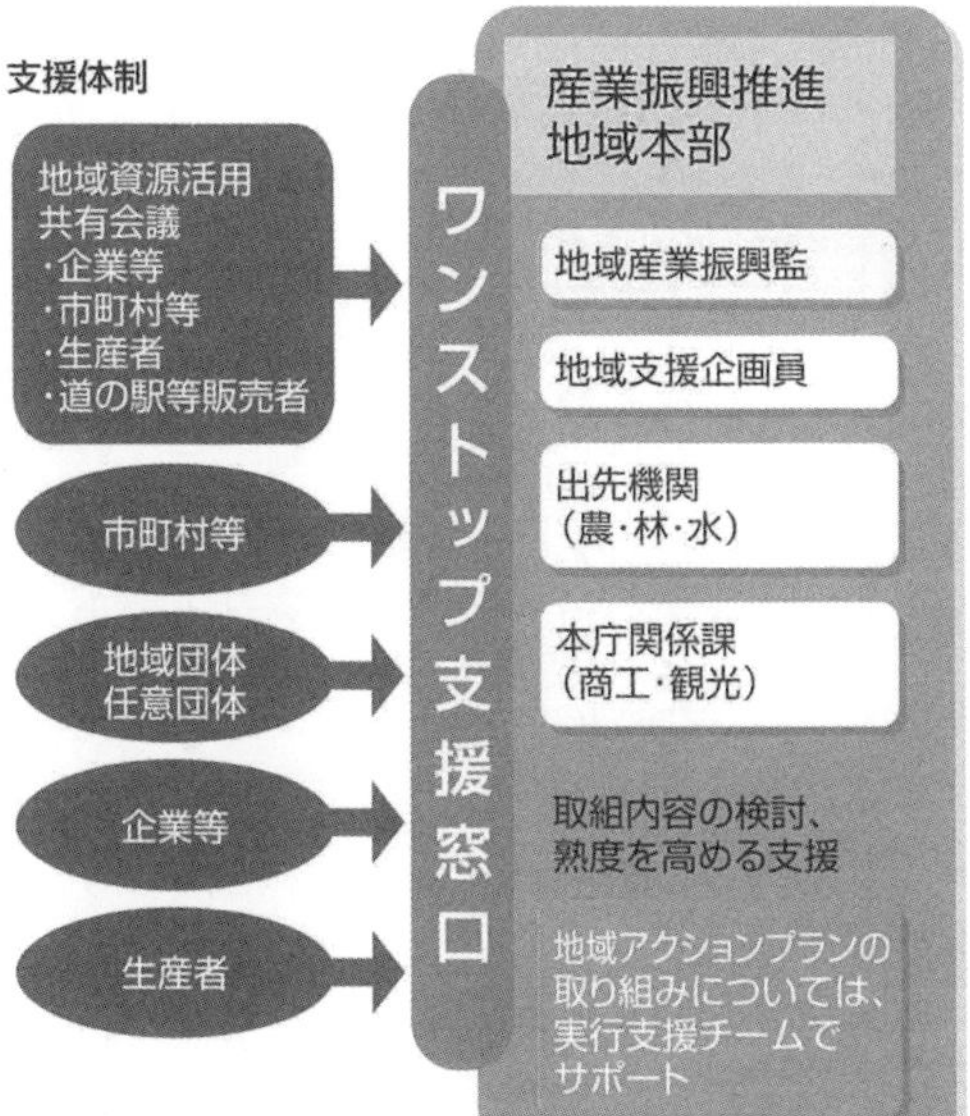

産業振興計画 総論（平成21年6月）より

わけですけど、一方で各市町村から見ると「なぜ県がここまで踏み込んでくるのだろう?」というような声もあったのではないですか。

岩城：最初は、ちょっとクセのある首長さんなんかからそういう声も聞こえましたし、私が部長になって初期の地域産業振興監を7名配置した時に、振興監と首長さんが相当やり合うというようなトラブルもありました。しかし全体的に、存在そのものを否定するという市町村は少なかったと思います。ただ中身について、「こうあるべきだ」というようなことで、地域産業振興監が相当泣きついてきたし、悩んだんじゃないかなと思います。

受田：それぞれの地域本部の特徴もありますしね。

岩城：しいて言えば、課題が多かったのは東部の方でしょうか。なかなかまとまりにくかったですね。中芸5カ町村というのは地域的には一つですよね。もともと合併の話が出ていたように、まとまればすごくいい取組ができる地域だと思うんですけど、なかなか過去の経緯からしてそうもいかないところがありました。

受田：いや、本当に、しっかりアクションプランを具体的に動かすうえで地域本部は極めて重要な役割をしていたと思います。

●地域本部に大学の教員が必ずいる、そんな地域と県と大学の関係性

受田：高知県がこのような取組を進めている頃、高知大学は土佐ＦＢＣや高知県産業振興計画の推進を支援する取組を進めることによって「大学が身近になった」という声も聞かれるようになりだしました。しかし、キャンパスは高知市、南国市の中心部に局在しており、東部や西部さらに山間部の地域から見るとまだまだ「遠い存在」であるのは否めず、この状況を打破するには大学が自ら遠隔地域に積極的に入っていくしかない、と考えるようになっていきました。

その具体策の一つとして、地域連携の拠点として地域本部との連携をより密にできないだろうか、と考えました。そのために地域本部に大学の教員が必ずいるような関係性を作り、そこで起こるいろんな問題を大学と機動的に情報をつなぎ、解決するためのチームを編成するようなことを推進しようと、ＣＯＣを企画したんです。

岩城：あれはいつでしたか？

受田：平成25年からですね。

岩城：私が副知事になった時、「こういう話があります」と聞かされて、「それ、どこから？」と聞くと「受田先生の方からです」と言うので、「一緒にやっていくつもりで、しっかりやってくれたらいいんじゃない」と、副知事として話をした記憶があります。

受田：その当時、産業振興推進部は中澤部長になっていました。今でもよく覚えているんですけど、このＣＯＣ事業という企画は、文科省が各大学に「地域と連携する、地（知）の拠点としてふさわしい取組みを」という提案公募でした。我々として何ができるだろうかと考えた結論が、地域本部に我々がより入っていく、これこそが高知県あるいは高知の大学がやるべきことではないかと思ったんです。

実は、県内の大学が協議をする場はすでにあったものですから、そこで他の大学も含めて、このCOCを提案する前提のもとで「一緒にやりませんか」という話をしたんです。そしたらですね、他大学から「そんなことやっても意味ない」みたいな意見が出たんです。それで、「いや、意味がないということはないし、それこそもっともっと地域に入らないと」と言ったら、場が冷め切った雰囲気になってしまいました。ところが、その時、「いや、それはいいアイデアだね」という声が上がったんです。その人はずっと地域を現場主義で見ておられる他大学の方で、それで一気に〝我が意を得たり〟となっていった。あのひと言は大きかったと今でも思います。

岩城：わかってる人はわかってるんですね。

受田：こうしてCOCの事業は、他の大学も参画した形で推進することができました。

文科省に採択されたCOC事業は、「高知大学が地域に入っている」というニュアンスを表現するために、「高知大学インサイド・コミュニティ・システム（KICS）」という名称を付けました。当時、「インテル入っている！」というコピーがあって、その英語に相当する「インテル・インサイド！」を参考にネーミングしたものです。

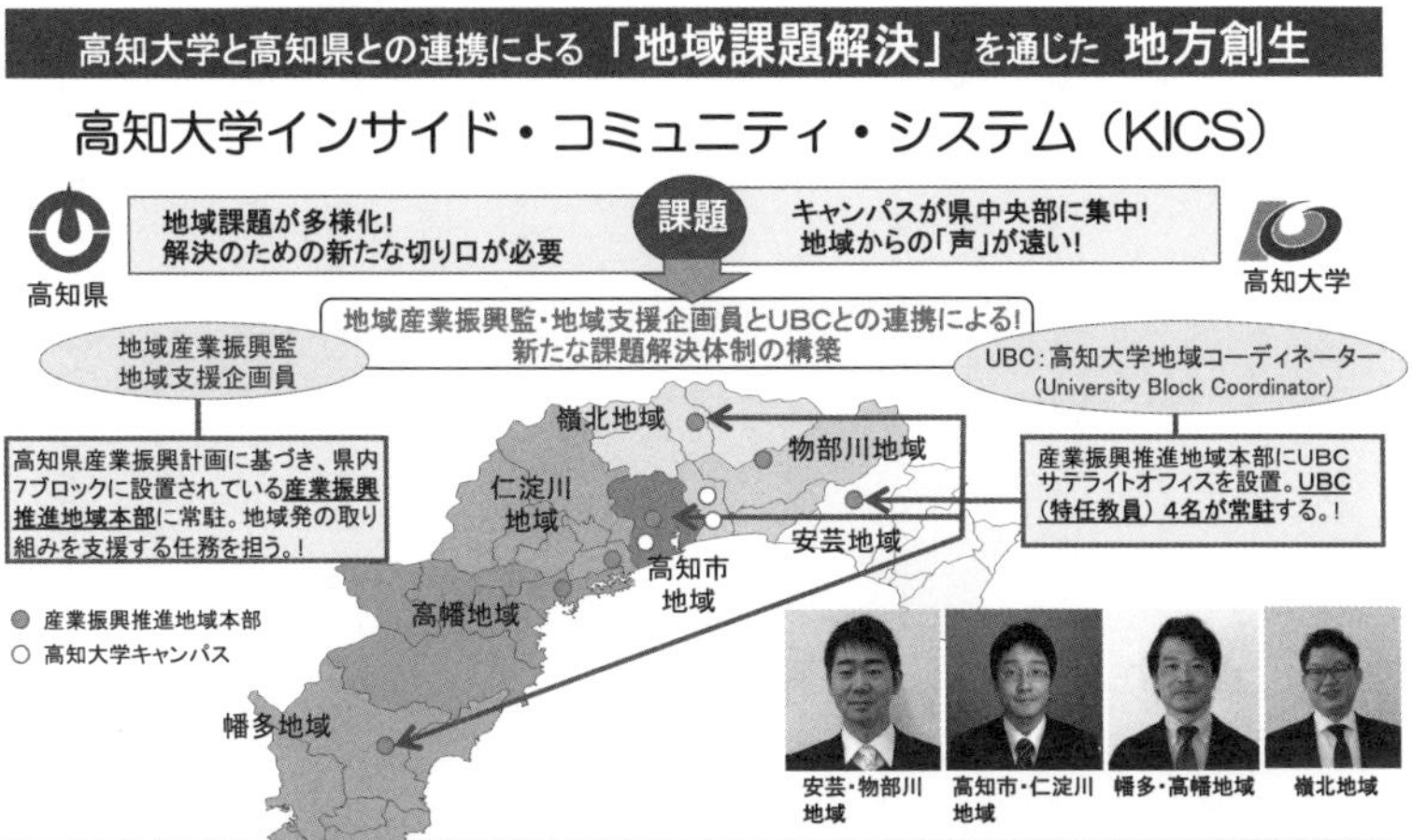

高知県地域課題に対する高知大学の貢献		
高齢化	全国より約10年先行する高齢化への対策 →	人生の「セカンドステージ」を充実する学びの場の構築
中山間!地域	暮らしの維持、地域の文化の継承、コミュニティの再生 →	学生による実地研修、自発的な地域課題解決に向けた取り組み
産業の!脆弱化	高知県産業振興計画の実行 →	産学官連携による計画の促進
災害多発地域	防災分野の「ものづくり」活性化、ソフト対策の整備 →	企業の技術開発や官のソフト対策に対する協力

地域から高知大学に対する教育・研究・社会貢献活動への協力		
教育	学生の地域活動に対する理解と人的、資金的支援 →	全学的なCOC教育の推進、県内各地における地域協働教育の展開
研究	教員との共同研究、研究に資する地域資源の提供 →	地域志向研究の加速、研究成果の地域還元
社会!貢献	大学による地域人材育成事業への人的、資金的支援 →	地域の実情に合わせた教育プログラムの提供

平成25年度、文科省公募の「地（知）の拠点整備事業（通称COC事業）」として新たに企画した「高知大学インサイド・コミュニティ・システム（KICS）」では「高知大学が地域に入る」システムとして、高知県の隅々にアンテナを設置して、地域課題の収集と掘り起こし、解決に向けた直接的支援や連携体制の構築を機動的に進めていくことを目的とした。

・4人の特任教員（University Block Coordinator; UBC）を県の産業振興監が配置されている産業振興推進地域本部に常駐させ、サテライト・オフィスとする（西部地域は四万十市、北部地域は本山町、東部地域は安芸市、中心部は高知県立大学永国寺キャンパス「高知県産学官民連携センター（通称ココプラ）」に駐在）

・地域住民の要望する生涯学習や各地域の産業人材の育成拠点として、サテライト教室を各オフィスの周辺に設置する

などを柱に活動し、地域における複数のクラウドファンディングの推進、29年度の日本遺産認定への貢献など、平成29年度までの5年間にわたるKICS事業は県内において高く評価された。

UBCは、高知大学本体との繋がりを生み出すアンテナとなり（知の拠点）、さらにある場合には社会人対象の「人材育成の拠点」機能を担うと共に、学んだ方々のネットワークを生み出す「交流の拠点」として重要な役割を果たしている。

実は、このＫＩＣＳ事業の最大の山場がＵＢＣの人選でした。ここで、県との画期的な関係ができたことがありました。それは、ＵＢＣを４人とも公募をして選考したんですが、その時に中澤部長に選考委員として入っていただいたんです。

岩城：そうなんですね。

受田：県の部長に大学の教員選考に入っていただく、これはたぶん画期的なことだったんじゃないかと思うんです。それで、すごく勉強になったのは、中澤さんの質問です。我々がふつう聞かないようなことを聞いてくれるんです。大学の教員の場合、突っ込んで相手がちょっとたじろぐようなあたりを常に考えるんですけど、中澤さんは実にスマートかつ的を射た質問をいろいろとされるので、我々も本当に勉強になりました。

岩城：彼は昔、人事課長で面接のプロみたいなことをしていましたから。

受田：「いや、中澤さんの面接、見事ですね」と言うと、「長年やってました」と言われていました。

岩城：地域本部は７か所あるので７名のＵＢＣを考えていたんではないですか。

受田：本当は７人採用したかったんですけど、予算の関係で文科省には４人で申請したんです。裏話ですが、ＣＯＣ事業を申請することを尾﨑知事に相談に行った時のことです。中澤部長と一緒に知事室に入って、「地域本部に置いてもらいながら、そこに大学があるという形を高知大学として作り上げると提案させてほしい」と言ったんです。そしたら、尾﨑知事は即座に「いやぁ、すごくいいですね。文科省に申請せずに県費でやりましょう」と言うんです。それで、「いやいや、ＣＯＣに申請したいので、大変ありがたいお言葉ですけど申請させてください」と言うのですが、それでも知事は「やりましょう、７人を県費でやりましょう」と大変乗り気でした。結局は、文科省に非常に評価していただいて採択されることになったんですが、その後ＵＢＣ全員を引き連れて知事のところに定期的に報告に行ってました。ＵＢＣは３年任期のテニュアトラックみたいな感じで採用したんですけど、彼らを継続して雇用するかどうかというのも、最後は知事に「すみません、この４人を継続して雇用するかどうかご判断いただけませんか」と頼むほどになりました。知事は「えーっ」と言われてましたけど、それくらいこういうプロジェクトを進めることの価値を、県としてしっかり認めていただいたんだと思っています。

岩城：我々県としても、市町村に場所を借りて、入って、乗り込んでいくじゃないけど、「一緒にやらせてください」「これをやりましょう」という形で地域本部を作っているわけですから、市町村にとって最初はたまらなかったかもしれません。それと同じで、ＣＯＣも「一緒にやりましょう」ですから、さらにたまらなかったかもしれません。

受田：今おっしゃった地域本部の戸惑いというのは相当あったみたいなんです。大学の人間がいきなり「座る場所を用意してください」と言うもんだから、当時は地域本部もかなり狭くて、さっきの70人くらい各本部に配置しているということは逆を言うと、それだけの場所を確保しておかないといけない。それぞれの場所を確保するのに相当苦労しているさなかに、さらに大学の人間が来て「えっ、また追加か！」みたいな感じで…。
岩城：スペースで苦労してるところがあったので、場所についてのことはいろいろ聞いていま す。
受田：幡多もそうでした。乗り込んできて、それで場所がなくなってきて、一体どうなるんだ、と。私も最初は地域本部を定期的に回りながら、ＵＢＣがどういう活動をしているか、もっと踏み込んで言うと円滑にいっているかどうか視察していたんです。最初の頃はなんかギクシャクしていて、私が乗り込んでいくと、また何か連れてくるんじゃないのかという感じで、戦々恐々としておられました。それが、うまく軌道に乗りだすと、ものすごくいい関係になっていきましたけど。
岩城：フォローアップ委員会の委員長の受田先生が自ら地域本部へ行く、そこに人を送り込んで実際に現場に行って…という、そんなことは普通しないですから、逆にそれくらいの熱意がやはり結果として形になったんじゃないでしょうかね。
　もう一つ、それが可能になったのは、これがこうなってこれがこうなるという一つのあるべき姿を理解してくれる人が各市町村にいたというのが、よかったのだと思います。
受田：この取組について、尾﨑知事と話をしたことがまだ実現していないことがあって、それはＵＢＣ４人を７人に増やしたいという思いです。これは今後も大きな課題にしていきたいと思っています。

それと、結果的にすごく誇らしいことなんですけど、最初に中澤部長に選考委員会に入っていただいて採用した4人がまだずっと残っているんです。平成30年度から全員がテニュアとして、高知大学に任期付きではなく任期なしで引き続き県内各所を中心に活動しています。

これは国の評価としても非常に高くて、「プロジェクト化して予算を付けて、その予算が終わればみんな解散、人も解雇」というのがよくあるんですけど、うちはその当時の櫻井克年理事（現学長）が「いや、彼らは非常によくやっている」「これこそ持続していかないといけない」と評価されたので、採用しようという方向に動きました。このことは、この発案でやったことの価値そのものだったように思うんです。ここは県とご一緒させていただいて、ほんとうによかったと思っています。この取組を通じて大学に地域貢献に対する新たな意識が芽生えたと考えられるからです。

例えばこの成果の1つで、日本遺産の「中芸のゆずと森林鉄道」。あの話なんかは、うちのUBCの赤池が…、

岩城：お名前はよく知っています。

受田：その赤池さんが、当時は安田町を中心にやっていたところを、中芸5カ町村の取組へと連携を広げていって、スムーズに申請をし〝町村間の壁〟を溶かしていきました。これは地域にとっても、とても大きなインパクトがあったようです。このあたりは本当にアクションプランの展開の1つだと思うんですけれども、強調しておきたいところです。

平成27年度から文科省「地（知）の拠点大学
による地方創生推進事業」（COC＋）として、「ま

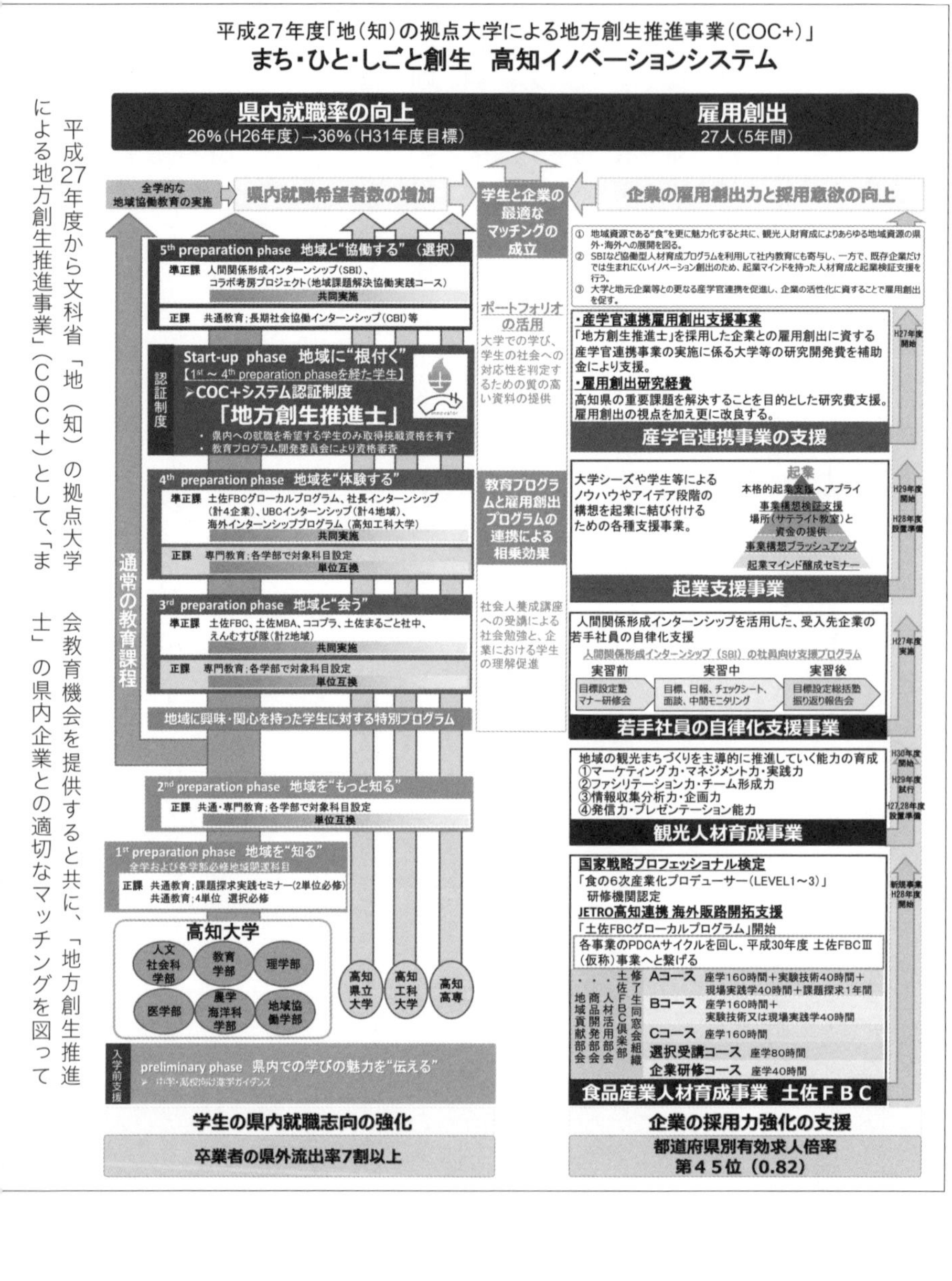

会教育機会を提供すると共に、「地方創生推進
士」の県内企業との適切なマッチングを図って

ち・ひと・しごと創生 高知イノベーションシステム」を立ち上げた。

　事業の内容は大きく2つの柱から成り立ち、その1つ目は高知県内の高等教育機関（高知大学、高知県立大学、高知工科大学、高知工業高等専門学校）の県内就職率を向上させる取組み、2つ目は県内企業の雇用創出力と採用意欲の向上への取組み。前者の教育プログラムとともに、企業の人材育成と産学官連携を促進するプログラムを構築することで雇用創出力と採用意欲を高めて、県全体の産業振興にも貢献する。両プログラムを連動させることで、学生に優れた社いる。

　本事業を県内全ての高等教育機関が結集して実行することで、「しごと」を創り、「ひと」を育て、「まち」の持続的発展を担保する、高知型のソーシャル・イノベーションが創出できると考えている。「地方創生推進士」は高知大学を始め、各大学の全ての学生が対象ではあるが、将来の活躍の場が地域（高知県）であることを明確にして、育成の方法を差別化していることが特徴である。さらに地域の雇用創出のために、社会人を対象としたプログラムとして、「こうち観光カレッジ」を実施している。

岩城：平成21年から産業振興計画を実行して若干変化が始まったと感じたことがありました。平成26年に、政府の地方創生「まち・ひと・しごと創生」への取組がはじまりましたよね。あれを見た時に、「まさしく産業振興計画で目指したものが書いてある」と思ったんです。尾崎知事が何度も内閣府とかに行って、地方の独自の取組、そういうものをぜひしっかり生かしてもらいたいという話をずっとしてきて、最終的にはそんな形になりましたからね。そこは我々が、というより高知県が、先生方のお力を借りながら取り組んできたことが間違いではなかったという自信を持たせてもらいましたし、さらにしっかり進めていかないといけないと思いました。
　と同時に、はっきり言って、どこの県が同じやり方をしても必ず効果は出てくると思うんです。事業や内容はそれぞれ違うかもしれませんが、このやり方で県を変えていくということはできるし、やはり意義のあることかなという気がするんですね。

受田：尾﨑知事の国への提言は大学へも大きな成果をもたらしました。歴代の地方創生担当大臣が相次いで、県と高知大学に視察に来られましたからね。この動きが、その後の「地方大学・地域産業創生交付金事業」にもつながっていくことになります。

●高知の価値を大学と高知県とが連携して高める

受田：そうした延長線上で、時系列でいうと、地域協働学部が立ち上がるのと、COC＋（後述　頁）という地方創生推進士の提案がほぼ一緒に起きています。ちょうど平成27年が地域協働学部の立ち上げなので、国が言う地方創生元年といわれているその年と重なるんです。

岩城：「はい、地域協働学部を作りましょう」とすぐにできるわけがないのですから、それまでの例えば地域本部であるとか、いろんな次世代の取組の組織を高知大学はお作りになって、若者、学生がしっかり現場で学んで、それぞれの地域の課題をずっと掘り起こしてきたからこそできたんだと思います。

地域協働学部ができた時には、高知県としては非常に頼もしいというか、逆に高知大学だからやるだろうなという気がしていたのが形になったということで、非常に心強かったですね。やっぱり高知大学というのは、そうあるべきなんですよ。工科大は工学部中心ですが、高知大は生活に直結するあらゆる学部を持っています。その中で、地域ということに焦点を当てて地域協働学部ができたということは今の時代に相応しいことで、これで高知大の体制は整ったんじゃないかなという気がしましたね。

受田：60人定員規模のちっちゃな学部で、どこまで地域を変えられるかということもありますけど、LX的に見ると日本を変えていくという大いなるチャレンジだったかもしれません。今おっしゃっていただいたように、国立大学法人で地域系の学部を作ったというのは日本で初めてでした。そのこともあって、NHKの9時のニュースウォッチ9で、大越キャスターの頃ですが、けっこうな時間を割いて地域協働学部の特集をやっていただいた記憶もあります。

まぁそれくらい際立った取組だったし、今でも地域協働学部が果たす役割というのは地域を変えていく人材育成そのものだと思っています。逆に言うと、27年頃は非常に珍しかったのが今や当たり前になりつつあるので、これを当たり前にしてしまってはいけないだろう、もっとユニークに地域にインパクトを与えていかないといけない、と強く思っています。

岩城：それは県としても頼もしく思います。

受田：地域協働学部の第1期生の中に「自分は高知県知事になりたい」と言っている学生がいました。その学生が実際に尾﨑知事に会う機会ができて、将来どんなところに就職したいか、目指すべき姿はどんなものかと質問された時、「ぼくは知事になります」と言い切りましたから、面白かったです。笑ってましたね、尾﨑知事。その学生は高知県庁に就職をし、最初に赴任したのは確か安芸の総合庁舎だったと思います。その後のことは聞いてないですが…。

岩城：県庁も今は、いろんな仕事ができます。私の方針としても、異動の希望を、どういう仕事をしたいのかを、しっかり聞くようにしていました。ただ一時期よりも少ないんですよ、高知大学の卒業生が。私たちの上の世代では、メインのメンバーは高知大卒がすごく多かったんですけど、だんだん少なくなってきて、「高知大ゼロ・ショック」という年もあったくらいです。

受田：いつのことですか。

岩城：13、14年くらい前のことです。高知県で働くという時に、ぜひ地域協働学部から来てほしい。県庁は人数も多いですから、いろいろな仕事をすればいいんです。それからもう一つは、学校現場を担う教員の方々も、やっぱり素養の高さというのは高知大が抜けているし。ただ、けっこう試験は受けてくれてるんですけど、入る人が少ない。「なぜなの？」という気がするんですけど、その対策が…。

受田：ズレてる？

岩城：ほんとに。自分がやりたいことはたくさんあるでしょうから、それを選んで仕事にするというのが一番幸せです。ただ一方では、高知県は限なくいろんな、行政マンであったり教員であったりというので、それによってやっぱり県や県民、変わってきますから、やりがいのある仕事はたくさんあります、そんな気がします。

受田：高知大学の創立75周年の記念事業の委員会のお願いに上がった時に、高知大出身者がどれくらいいるかなと見てみたら、今、商工労働部の部長の松岡孝和さんがＯＢとしていらっしゃる。

岩城：思い浮かべても、今あんまりいないんですよ。残念ながら最近お亡くなりになった原田悟元商工労働部長が高知大だったんですけど、彼は福岡から高知大に来て、こっちで住んだ。その前は、川村龍象商工労働部長とか畠中伸介健康政策部長とか、たくさんいましたよ。

受田：高知大学に監事としてご紹介いただいた元ココプラセンター長の杉本明さんにもお世話になっています。そういう意味で、こういう取組が人材の育成と同時に、県を支えていく人材としてさらにつながっていかないといけないですね。

岩城：ぜひ、そうなってほしいです。医療のほうも、以前は岡山大学、徳島大学に頼っていたのが、年月を経るにつれて、じわじわと高知大が中心になってきていますからね。高知大学がメインになる日というのは、そんなに遠くないと思います。

受田：そうなってほしいですね。地域協働学部の設置と同時期に始まったＣＯＣ＋事業なんですが…。

岩城：地元定着率を上げていく取組ですね。

受田：はい。高知県は中小零細企業が大多数を占める一方、学生は県内企業の事業内容や独自技術に対する知識が少なく、また産業基盤が弱く雇用の受け皿が十分ではないため、学生の求める就職先が限られているなどの現状があります。これに歯止めをかけるべく、学生が地域を〝知り〟、地域と〝会い〟、仕事を〝体験し〟、〝協働する〟という教育プログラムを創出することで、地域に対する深い理解と愛情を持った学生「地方創生推進士」を育成するとともに、県内全ての高等教育機関が結集して県内就職率を向上することを狙ったものです。

岩城：例えば県内への定着とかは商工労働部が相当熱心にやっていますけど、県と何らかの連携はしていますか。

受田：しています。COC＋の事業を立ち上げる時に、本部会議というテーブルを大学が主導で作りまして、そこに商工労働部長と産業振興推進部長の2人に出てきていただいています。プロジェクトは終わった今も、本部会議はそのまま継続をしていて、松岡孝和部長と沖本健二部長にお越しいただいています。なかなかあのお2人が一緒に並ぶ会議というのはレアだと思うんですけど…。

岩城：時代が変わって、2人は部長になっていますからね。

受田：沖本さんは、尾﨑知事の時に東京担当の秘書官をやっていたましたね。

岩城：松岡さんも秘書官です。今の部長連中は秘書官経験者が多いんですよ。観光振興推進部長、地域子ども福祉政策部長、それから水産振興部長も秘書官経験者です。

受田：薫陶《くんとう》を受け続けて…。やっぱり尾﨑イズムというのが相当浸透して、そういう方々が部長クラスに、責任ある地位に就かれたわけですね。

岩城：人事の素案づくりは私が関わってましたんで、人事課と相談して秘書官には彼がどうでしょうかという案を作って持って行き、知事が経歴をみっちり見て、これでいきましょうかと最終的に決めます。秘書官というのは課長補佐レベルですけど、私も知事室に入りますから、知事とやり取りする時に、なんとなく合う・合わないの相性はわかるわけです、性格的にも。秘書官をやった経験を持つと、何と言っても危機管理能力が身につきますね。危機管理といっても災害や突発的事件だけでなく予想外の事態で事業の目標達成が困難になる…ということを含めてですが、秘書官を辞めた後、課長になって、副部長になってという時に、仕事ぶりがまったく違います。

受田：そこが大きいところですね。

岩城：イズムというのは主義主張というより、仕事の仕方、進め方。ＰＤＣＡを回す、人の話をよく聞く、市町村との連携、官民協働、悪い話ほど早く上司に入れる、といったことを、みんな耳にタコができるほど聞きました。だから、尾﨑イズムという名前が適当かどうかわかりませんけど、この12年間の県庁職員に残した尾﨑さんの財産というのはメチャクチャ大きいと思います。

受田：ある意味、それは基本的なことかもしれないですけれども、そのことが常に頭に入り、自然に行動ができるようになっているかどうかが大事なんでしょうね。

岩城：例えば「悪い話ほど先に入れたほうがいい」というやり方、これはもう間違いないことなんです。「何かあれば副知事か知事に」とは言いますが、8割くらいは副知事である私のところに来るんです。早めに報告が来るので、早めの指示が出せる。そうすると、ちゃんと知事に報告したことにもなります。案件によっては、私は私で「これは県民に公表すべきだ」とかいうのを判断する。最初は嫌がりますけど、そのうちに慣れて、みんなが「これをいつ公表することにします」「こういうことがありました、申し訳ありません」と言ってくるようになりましたね。

受田：マネジメントの点で見習うことが多々あります。ところで、先ほどの「高知大ゼロショック」という話は実にショックでしたが、その挽回を高知大学としても図らねばなりません。

岩城：実は私、1997年に開学した高知工科大学に5年間いたんですよ。その時は、「えっ、私がなぜ工科大学なの？」という意識はありましたが…。あの頃はまだ舗装もされていなくて、雨が降るとぬかるむようなキャンパスでした。入学式を迎えた時に、当時日本で初めてのICチップ機能の入った学生証というのがあって、そういうモノとか建物とかから、すごい大学だなと感じました。最初、情報系を1年やって、それから法人の運営を2年やって、次に苦しくなった時に学生募集を2年やったんです。

高知工科大学は、中内知事の時に理工系の大学を高知にという願いがかなわず、橋本大二郎さんが知事になる時に大きな公約として掲げました。それはそれなりに役割を果たしていると は思うんですけど、やはり大学は学びの場の提供であるとか地域での役割とか、存在意義が大きい。失礼ながら、その頃、高知大学というのは私のイメージとしては、まぁ同級生も行ったりしてましたけど、工科大の話題性が図抜けていましたので、なんか存在感がないなぁと思っていました。

しかし、受田先生とお近づきになって、やはり高知大学もどんどん変わっていってるなぁと感じましたし、最近では「あ、これも受田先生のお仕事かな」というふうな気がしています。

受田：いや、ありがとうございます。高知工科大学や県立大学、そして今回、高知学園大学もできたし、高知リハビリテーション専門職大学も含めて、県内に4年制の組織が5つできている。これもすごく大きな資産だと思うんです。それぞれ考えが違うところはあるとは思うんですけれど、高知の持っている価値をどうやって高めていくか、自分たちがどう貢献できるかを、より一層考えていかなければいけないと思うんです。

岩城：そう思います。

●産業振興計画の成果とは

受田：今日のお話の冒頭で「成功した」という表現もあったんですけど、産業振興計画の成果についてしっかり見ていこうと思います。

平成22年度の第2期産業振興計画では、10年後のＫＰＩの数値を挙げています。ちょうど10

年後に当たる令和２年度の数字が直近で出てきていますので、当時描き見据えた数字が10年でどうなったかっていうのが議論できるわけです。

岩城：産業振興計画が始まる前の平成20年当時から言うと、いろんな数字が上向いてきています。県民所得にしても、全国で上昇率が12％ぐらいなのに高知県では20％ぐらいになってますし、成果は出てますよ。

受田：他にも例えば農業は、平成22年度は930億円にまで落ちていました。しかしながら、その後は産業振興計画の実行が実を結び、平成27年度あたりから大きな増加が認められるようになります。そして、令和元年度では１１２３億円*にまで伸びています。10年後（令和２年度）のＫＰＩが１０５０億円以上でしたから、もう完全にクリアしています。

観光については、途中で上方修正をずっとやってきました。県外観光客入込数について、平成23年の388万人を435万人以上にするという目標は、平成30年の段階で440万人を超えて完全に達成していっています。去年はコロナがありましたけど、その前は完全にそれを超えていたことになります。それに伴い、観光の総消費額についても１１００億円を超えています。平成20年度の数字が777億円ですから、40％以上の伸びですね。

食品も平成22年が861億円で、10年後の数値目標を900億円以上と立てていたんですけど、この数字も令和２年は１２００億円*になっていて、1.4倍ぐらい金額アップしてるんです。

こういうところから見て、県政では知事が４年周期で選挙があるにもかかわらず、10年後の

ＫＰＩを明確に立てたこと自体も画期的でした。ここは私も委員長の立場で４年のＫＰＩを立てていくところからもっと長く、もっと言うと尾崎知事が変わっても揺るがない、県としての方向性を描いていただきたいということを明確に言いまして…。この10年先というのをたぶん相当な決断をして描いていただいたんですね。それがものの見事にクリアできている。

岩城：たぶん10年を見据えて、その間どういう形で進めていくか、その２年後の目標、４年後の目標、自分の任期のいつまでにということを、区切りは考えながらやっていましたね。

まあ、進捗状況が予想より思わしくなければ徹底的に手を打ちましたし、その都度予算化をして、ハードルをクリアするような形でやってきましたから。失敗したりうまくいかなかったこともあると思いますが、全体的に見るとこれは成功したかなというふうに思っています。

受田：この中で唯一と言っていいと思うんですけど、商工業分野の製造品出荷額、これが平成22年度が４６８１億円、10年後は６０００億円以上、としていたんですね。現状を見ると、この数字が令和元年で５８１３億円*、ちょっと届いていないかギリギリです。

岩城：他力本願の商工については、太平洋セメントとかルネサスとか大企業があると大きく数字が変わるんです。そういう面があって、やっぱり企業だけに頼ってというのも他にいろんなことで積み上げはしていますけど。全然ボリュームが違いますからね。

受田：ここが数字としては目につきますが、おっしゃられたようにいろんな変動要素があって、それによる影響が非常に大きく出てくることもあるので、ここは致し方ないのかなと思いま

＊：直近の値

第3期計画(R元年)の目標:原木生産量 78万㎥

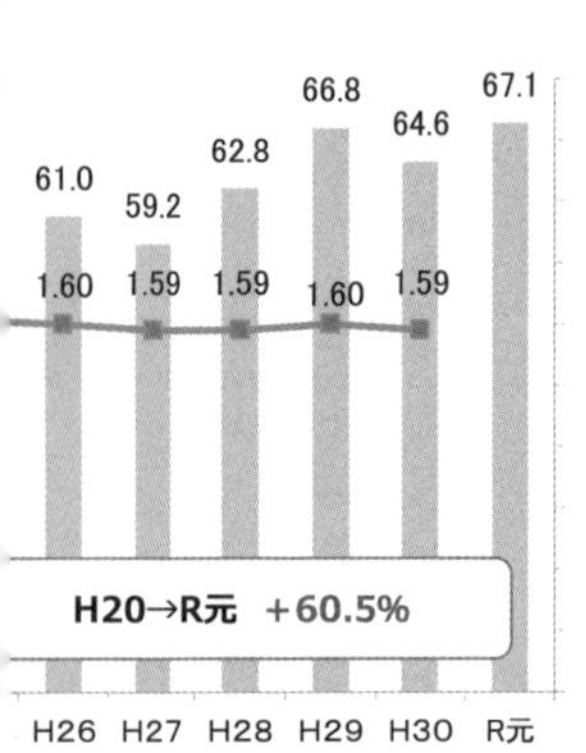

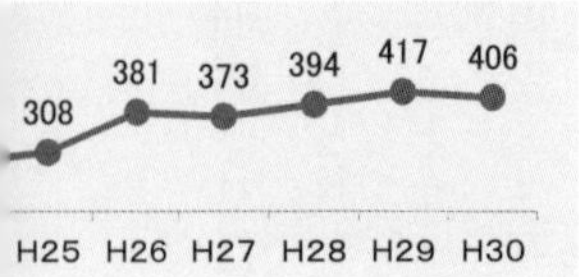

水産業分野

第3期計画(R元年)の目標:漁業生産額(宝石サンゴ除く) 460億円

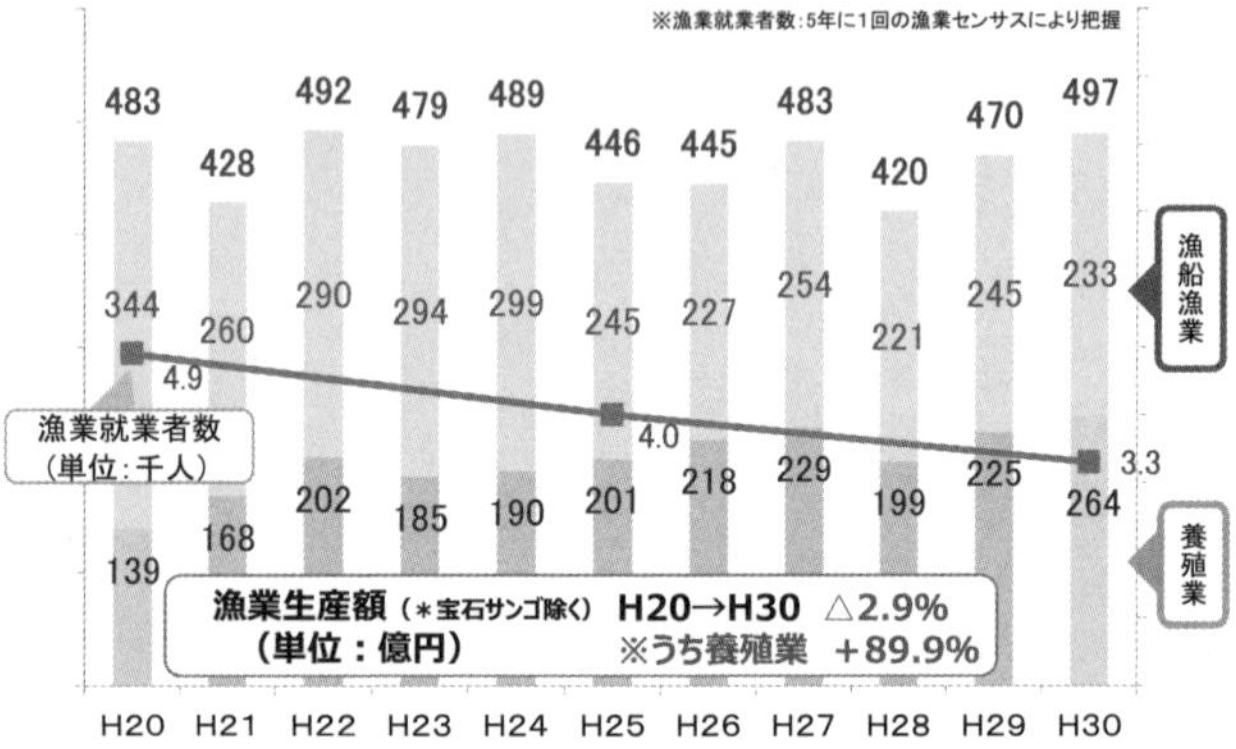

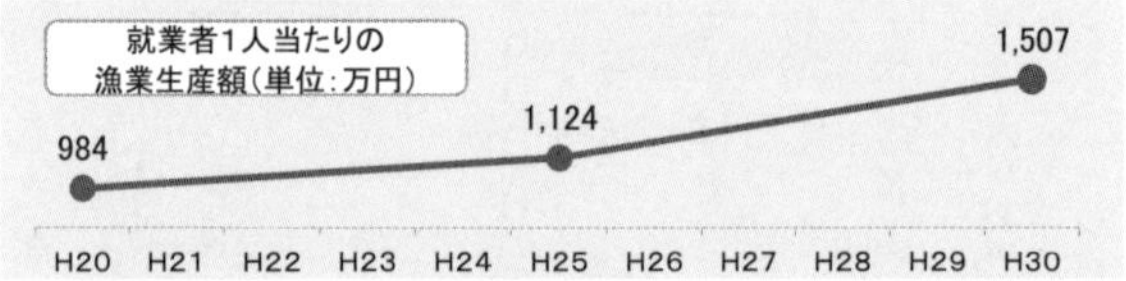

(R元年)の目標:食料品製造業出荷額 1,000億円

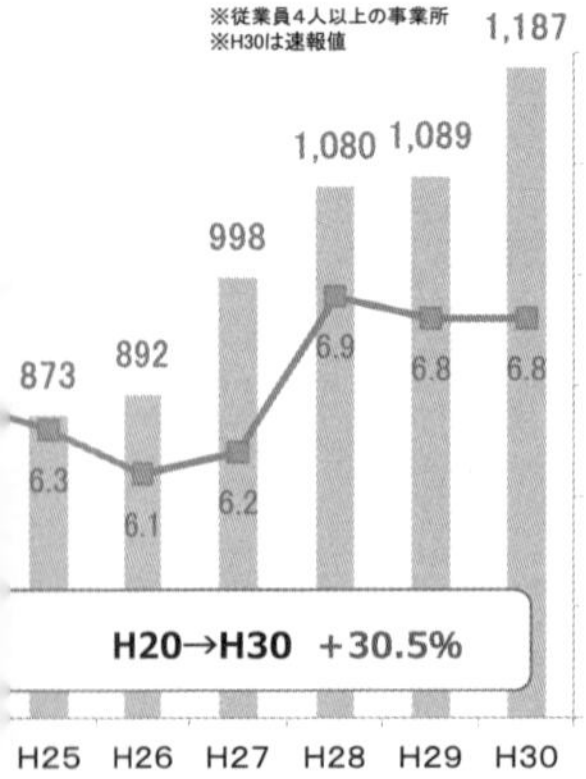

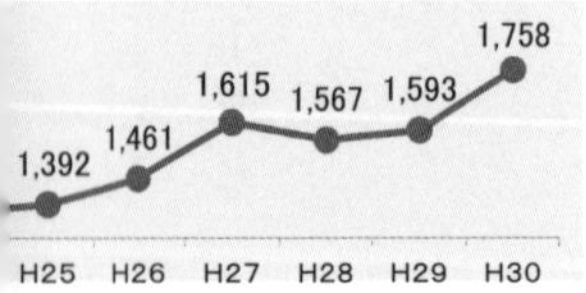

観光分野

第3期計画(R元年)の目標:県外観光客入込数 435万人
観光総消費額 1,230億円

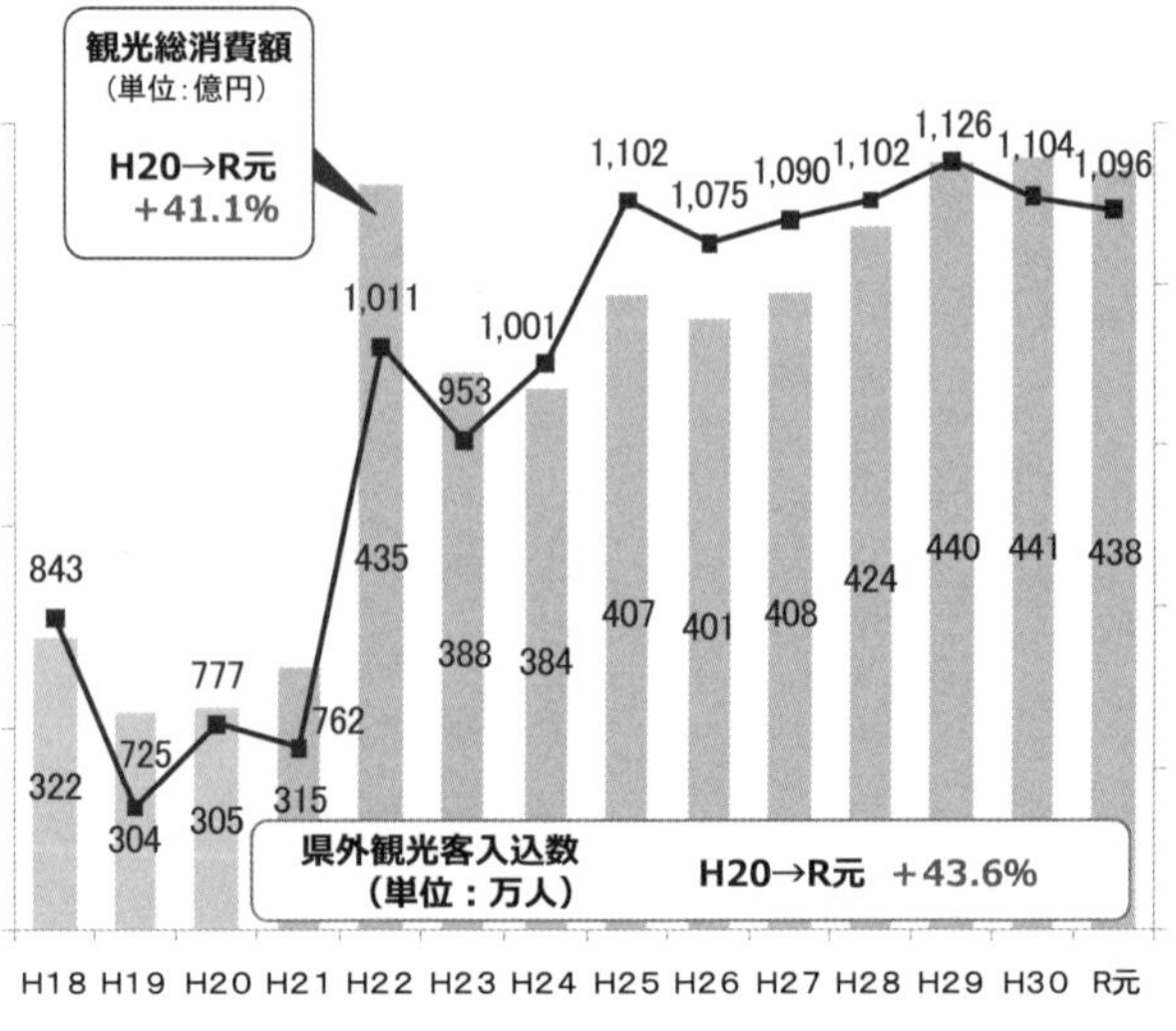

各産業分野における産出額等の推移

農業分野

第3期計画（R元年）の目標：農業産出額等 1,060億円

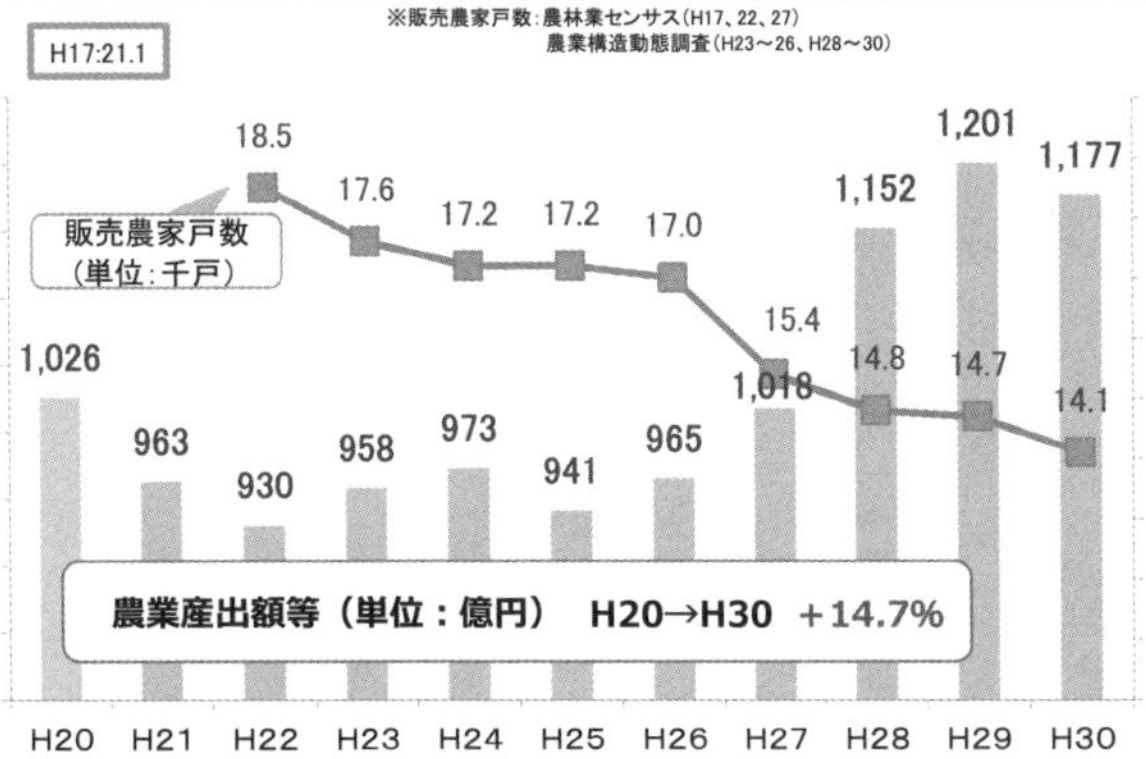

※販売農家戸数：農林業センサス（H17、22、27）
農業構造動態調査（H23～26、H28～30）

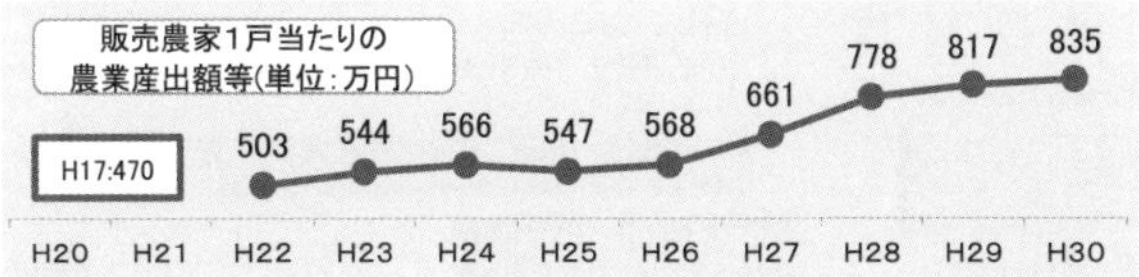

林業分野

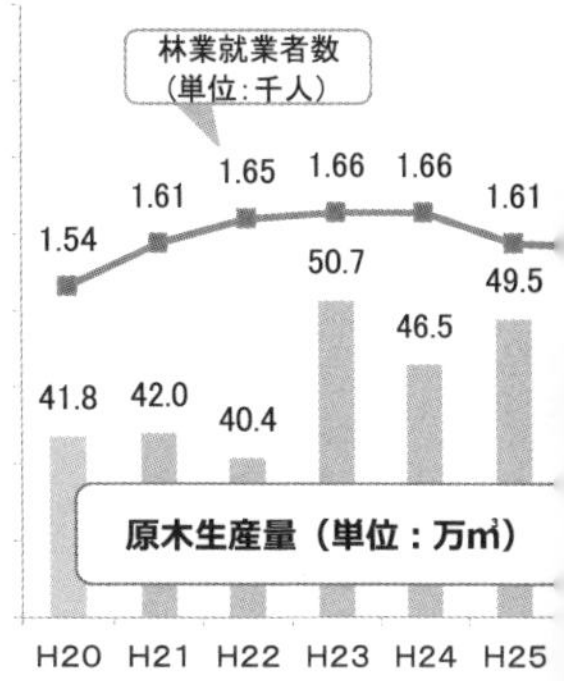

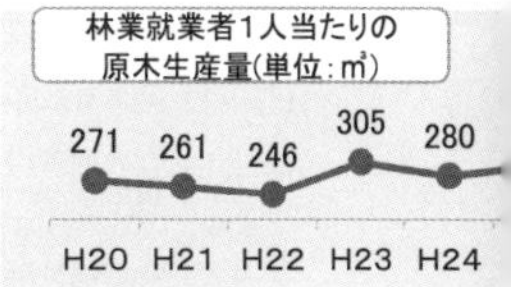

商工業分野

第3期計画（R元年）の目標：製造品出荷額等 6,000億円

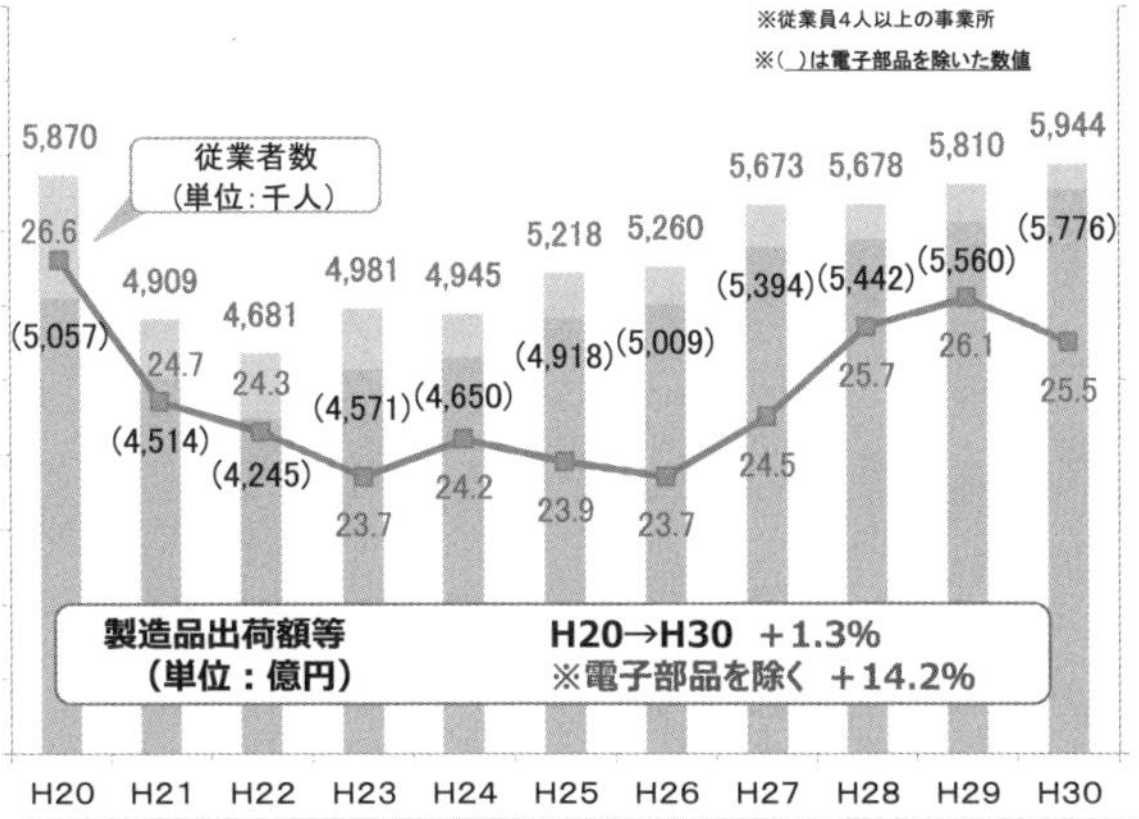

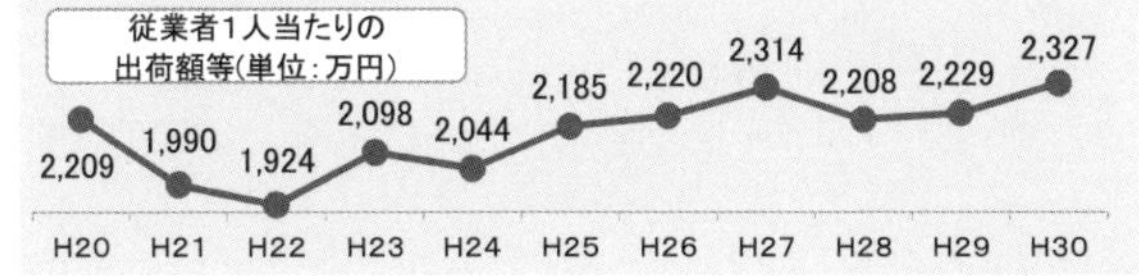

食品分野

第3期計画

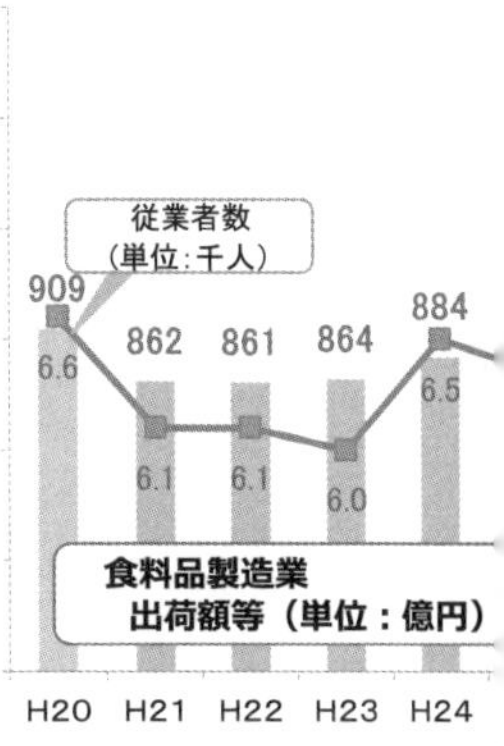

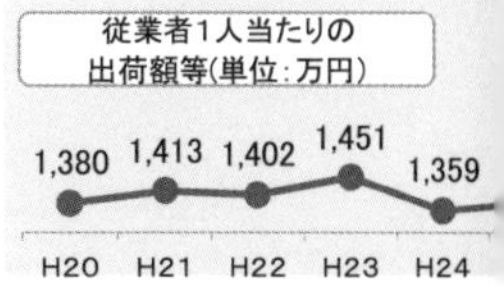

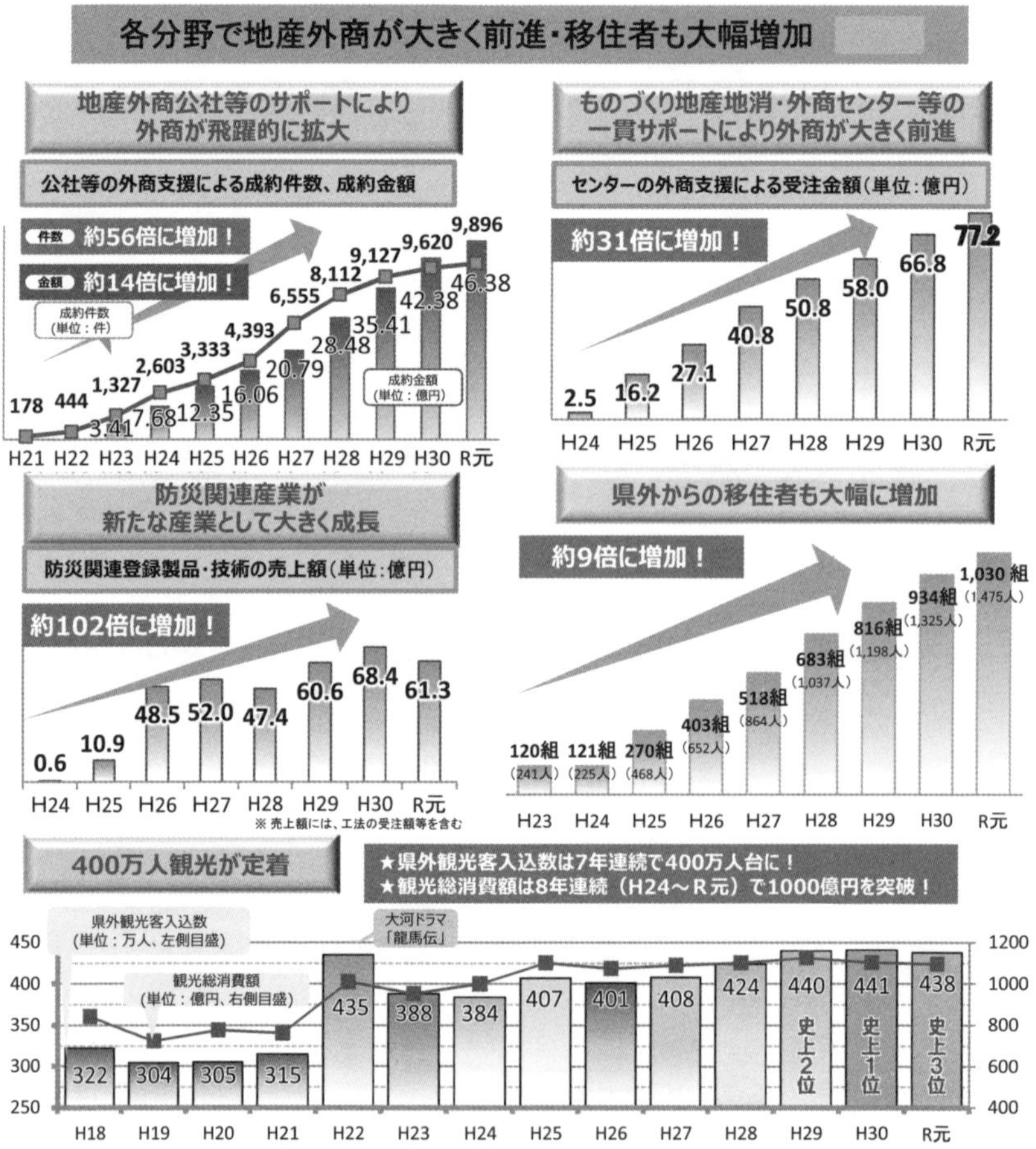
各分野で地産外商が大きく前進・移住者も大幅増加
地産外商公社等のサポートにより外商が飛躍的に拡大
公社等の外商支援による成約件数、成約金額
件数 約56倍に増加！
金額 約14倍に増加！
成約件数（単位：件）
成約金額（単位：億円）
178 444 1,327 2,603 3,333 4,393 6,555 8,112 9,127 9,620 9,896
3.41 7.68 12.35 16.06 20.79 28.48 35.41 42.38 46.38
H21 H22 H23 H24 H25 H26 H27 H28 H29 H30 R元
ものづくり地産地消・外商センター等の一貫サポートにより外商が大きく前進
センターの外商支援による受注金額（単位：億円）
約31倍に増加！
2.5 16.2 27.1 40.8 50.8 58.0 66.8 77.2
H24 H25 H26 H27 H28 H29 H30 R元
防災関連産業が新たな産業として大きく成長
防災関連登録製品・技術の売上額（単位：億円）
約102倍に増加！
0.6 10.9 48.5 52.0 47.4 60.6 68.4 61.3
H24 H25 H26 H27 H28 H29 H30 R元
※ 売上額には、工法の受注額等を含む
県外からの移住者も大幅に増加
約9倍に増加！
120組（241人） 121組（225人） 270組（468人） 403組（652人） 518組（864人） 683組（1,037人） 816組（1,198人） 934組（1,325人） 1,030組（1,475人）
H23 H24 H25 H26 H27 H28 H29 H30 R元
400万人観光が定着
★県外観光客入込数は7年連続で400万人台に！
★観光総消費額は8年連続（H24～R元）で1000億円を突破！
県外観光客入込数（単位：万人、左側目盛）
観光総消費額（単位：億円、右側目盛）
大河ドラマ「龍馬伝」
322 304 305 315 435 388 384 407 401 408 424 440 441 438
史上2位 史上1位 史上3位
450 400 350 300 250
1200 1000 800 600 400
H18 H19 H20 H21 H22 H23 H24 H25 H26 H27 H28 H29 H30 R元

114

主な経済指標も上昇傾向

経済成長率

＜産業振興計画の取り組み前と取り組み後の比較＞

（単位：%）

	H13年度値→H20年度値（旧（H17年）基準）		H20年度値→H29年度値（H23年基準）	
	7年間での増減率	1年あたり（幾何平均）	8年間での増減率	1年あたり（幾何平均）
人口	−4.6	−0.67	−7.9	−0.91
県内総生産（名目）	−13.7	−2.08	7.0	0.76
県内総生産（実質）	−7.3	−1.07	4.4	0.47

出典：高知県「県民経済計算報告書」

雇用失業情勢

・有効求人数

H20年度： 8,045人
⇒R元年度：15,852人（**+97.0%**）

◇有効求人倍率
H20年度 0.46倍 ⇒**R元年度 1.27倍**

・正社員有効求人数

H20年度：3,424人
⇒R元年度：6,309人（**+84.3%**）

◇正社員有効求人倍率
H20年度 0.24倍⇒**R元年度 0.76倍**

・完全失業率

H20年度 4.8%⇒**H30年度 2.4%**

1人当たり県民所得

出典：高知県、内閣府「県民経済計算報告書」

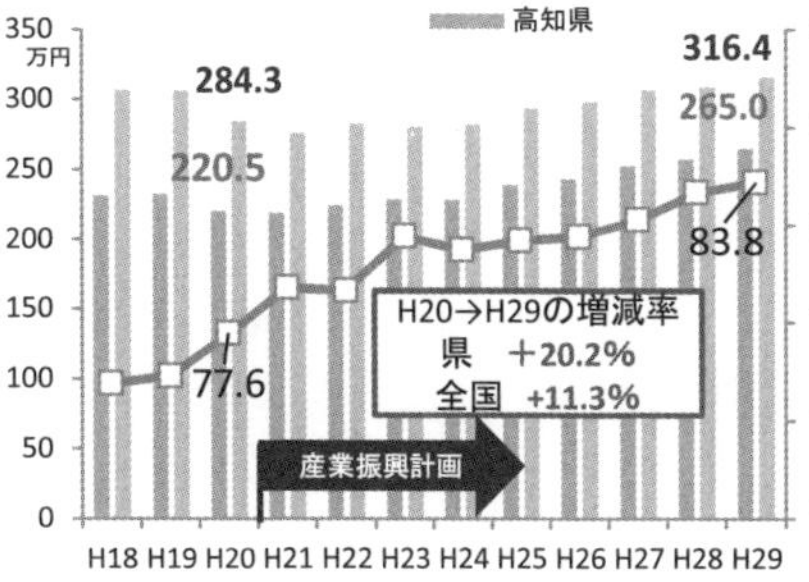

労働生産性※

出典：高知県、内閣府「県民経済計算報告書」

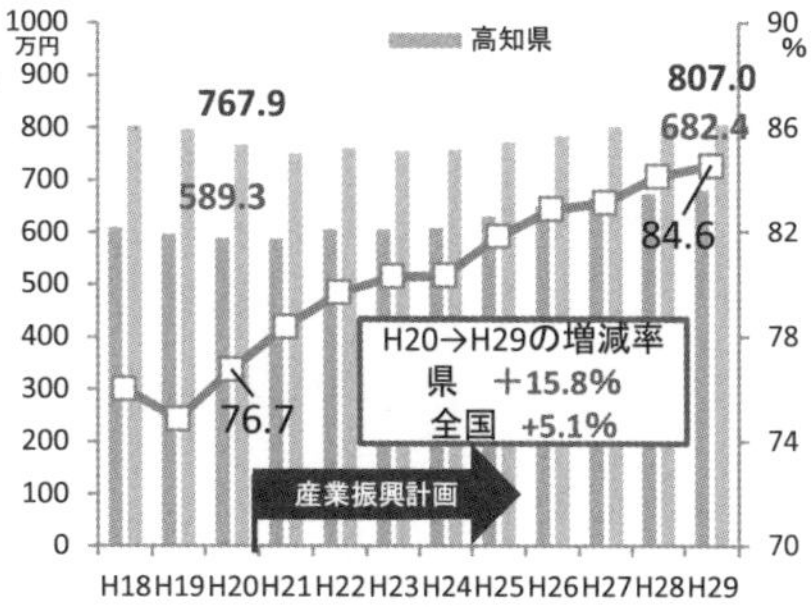

※労働生産性＝県内総生産額／就業者数

す。あえて挙げるとすれば、この数字が10年後の数値目標に対して届いていない唯一の項目です。

岩城：ついでに言っておくと、これらを成し遂げてきた産業振興計画を推進するための関連予算なんですが、実行元年の平成21年度は総額85億円でした。それ以降も当初予算ベースで増加傾向にあり、第3期に入る平成28年度の当初予算はほぼ2倍の166億円です。新型コロナが広がる前の令和2年度は221億円の予算が計上されています。

受田：尾﨑知事も当時言ってましたけども、自由に使える予算がないとほぼ何もできないって。それが実感だったみたいですね。それをやりつつ、自分自身の裁量で予算措置できるものをいかに国に働きかけをして予算化してもらえるか。ここも同時にやってましたから、すごいですね、そういう意味で。

岩城：大したもんです。

受田：10年後の数値目標を野心的に設定して、そしてクリアした。むしろ、それを上方修正していきながら今やっているわけなんですけど、よくやれましたよね。ここまでやれているというのは奇跡に近い。それくらい緻密な作戦と、一番大事なところは意識改革でしょうね。

岩城：まぁ、スーパーマンと名コンダクターがいらっしゃったので…。

受田：いや、尾﨑知事はスーパーマンですね。そうは言っても、県庁職員の方の意識を変えていくという部分はある意味、一番しんどいところであり、それができなければ多分この計画は絵に描いた餅で終わっていたと思うんです。

岩城：それまでの県庁の常識では、庁内のいろんな課題で本部会議を開きますというと、尾﨑知事の就任前は約1時間ぐらいで終わるんですけど、産業振興計画の本部会議は3日間でしたね。

受田：いや、すごいですね。それぐらい微に入り細に入り、そしてどうしたらいいかということを徹底的にやっていたということですね。

岩城：徹底的にやって、ごまかしてもすぐに分かる。本当に大したものだったですね。

受田：改めて今、何がこの成功の要因だったと振り返られますか。

岩城：これは私の考え方ですが、自分として合格点をつけられたのは、4つ要因があると思うんです。

1つ目は、高知県は今まであんまりいろんなチャレンジをしていなかったんですけど、思い切ってこういうことにチャレンジしようと、人材育成じゃないんですけど、そこに県民の方から名乗りを上げてきていただいた。例えば最初、海外に行ってアイスクリームを売ろうと思っても旅費がかかるだけでまったく売れませんからね。それを粘り強く行って、今やけっこういい形で商売になってくれている、そういうチャレンジャーというか、志をもった県民の方が多くいた。

2つ目は、じっくり考えて、計画づくりの1から的確な判断をした尾﨑知事の存在というのがあります。

３番目には、そういう計画を表に出す、それからフォローアップ委員会で承認をする、そうした陽の目を見る時に取り仕切っていただいた受田委員長の存在。

それから４つ目は、最初はいろいろ不満もあったでしょうが、本当に知事の方向性を理解して頑張って下支えをした県職員。

大きく言えば、この４つが成功の要因ではなかったかなという気がするんです。

受田：このように順調に成果を挙げてきた産業振興計画ですが、あえて言えば残された課題もありますね。

岩城：もちろんです。数字を見てみると、伸びは全国を上回るものの、「１人当たりの県民所得」、「労働生産性」、「１人当たりの現金給与総額」はそれぞれ全国の83・３％、84・３％、94・４％で全国の絶対水準を下回っています。

受田：さらに、人手不足の問題が大きく圧しかかっています。

岩城：完全雇用状態を背景とする人手不足の深刻化は今や企業の経営上の大きな課題になっています。この人手不足は、人口の減少、特に人口の社会増減の均衡という目標の実現が見えていないことに起因すると考えられます。

受田：やはり最後は人に行き着くことになりますね。

岩城：人口問題ではどうしても若者に目が行きます。現在の高知県産業振興計画が「目指す将来像」は、「地産外商が進み、地域地域で若者が誇りと志を持って働ける高知県」としています。この実現を具体的に図っていくことにより、人口の社会増減の均衡も達成できるのではないかと思っています。

受田：そのためにはＩｏＰの取組など、高知県だからこそ味わえる最先端産業の実現を急がなければなりません。令和３年度には、デジタル化（ＤＸ）、グローバル化、そしてグリーン化という視点が産業振興計画に盛り込まれました。特にグリーン化は、二酸化炭素排出ゼロを目指すカーボンニュートラルを実現しながら、産業的な発展をも両立する変革です。産業振興計画の策定に関わっていただいた藻谷さんからの示唆を今こそ思い起こさなければならないと考えています。

岩城：「永続地帯」の考え方ですね。

受田：ええ。そして、その永続地帯を産業振興と両立させること、それこそがグリーン化の本質であると、高知県から発信していくことが求められます。

岩城：何か運命的でもあります。特にグリーン化については、大学の研究者のお力をお借りすることが必須でしょうね。

受田：まさに産学官の連携が求められるテーマです。

4　産業振興計画の到達点とこれから

●産業振興計画を通じてできた産学官の連携をさらに深化させる

受田：僕は大学と県の産業振興計画が一体化するように、中間ヒアリング時期においても当時の農学部長に決意表明をしていただくなど、連携を図るよう振る舞ってきたことはあるんですけども、逆に県から見た時に、大学組織あるいは他の大学も含めて、県の産業振興にしっかりコミットできるようになってきたのかどうか、あるいはそれを含めた産学官連携はどう変化したでしょうか？

岩城：もともと大学に対して期待するところは非常に大きいということはあります。今から考えると産学官連携というのは、例えば産というと大企業をイメージしがちであったという面とともに、今までそういう会議は何度か出させていただきましたけど、三者がトライアングルのように一緒になってやっていくことはなかなか難しかったように思います。産と学、または官と学、産と官というのは、それぞれがいろんな形で持ちつ持たれつしてきたのかなということはあるんです。

大学に関して言うと、土佐ＭＢＡ、ココプラの話のように、県として大学の力を借りてということはずっとやってきました。もう一歩踏み込んで共に協働してやっていくようなことがもっと増えていっていいと思います。いろんな学部があって、あらゆる分野で県民生活に直結した学問をやっている高知大学と県がもっともっと協働して取り組んでいくということを増やしていくべきじゃないかな。それは何ですか、といま言われてもすぐには思い浮かびませんけども…。それでもあえて例を出すとすると、先ほどの土佐ＭＢＡ、責任者として大学の先生をお迎えして、県も大学も一緒にサポートしながらやっていく形をもっととっていけたらいいなと思いますね。

受田：産学官の連携を実現する場として、ココプラをつくられました。けっこうすったもんだあって、今の鞘《さや》に収まっているということはありますけども、おそらく県が描いていた「産学官連携のプラットフォーム」というのは、今あるココプラのイメージからもうちょっとバージョンアップするものだったと思うんです。

岩城：ココプラというのを産学官連携という広い意味で捉えた時に、人材育成などの部分については比較的まとまりがあるかなという気はしています。この先ですけど、全体的にいろんな分野で産学官連携というのを考えた時に、まだまだもっと積極的に一歩踏み込んでできることがあると思うんです。

受田：県がココプラをつくる時、知の拠点であり、人材育成の拠点であり、交流の拠点であると位置づけましたね。ここはものすごい響いてまして、なぜってこれ、大学の役割そのものでもあるんですね。大学でいうと、交流の拠点機能が実に弱いんです。県が作られている部分である交流の拠点だったり、土佐ＭＢＡを通じた人材育成だったり、しっかりコミットしていく必要があります。知の拠点は、県としても工業技術センターや公設の研究機関を中心に担う部分はあるとしても、やっぱり大学がもっとそこを補完していかないといけません。

それぞれ得意なところ、薄いところはあると思います。そこにいかに産業界を呼び込んでいくか。岩城さんのおっしゃる「踏み込み」というのはたぶん、それぞれが当事者としての思いを持つこと。究極の共通する目標というのは、やっぱり「地域を発展させる」「持続可能なものにする」という思いを一つにして、自らが当事者として身を粉にして協働していくという姿ではないでしょうか。この姿を一つの理想とするならば、いろんな局面でそれに近いことはあったとしても、まだ完璧にフルセットにまでは至っていない印象がある、そんなふうな理解ですね。

岩城：難しいですよね。たぶん官と大学というのは、さっきもう少しということを言いましたけど、あんまり深く考えずに実行すれば協働できることはたくさんあると思うんです。

そこは思い切って「さあやりましょう」ということで、県の方でも予算だとか体制だとか、そういうのを構えることは簡単なことだとは思うので、そこは一歩踏み込んだらいいかなと思うんです。産の方については代表者がいないので、それぞれの個々の要望をお聞きして、産全体の中の、こういう場合にはこっちの人、こういう場合にはこっちの人、ということになるのかなという気がしたり。そこらへんの産学官連携については 私の方も答えというか充分に説明できない状況です。

受田：国レベルで見た時に、例えば経団連がいますとか経済同友会の代表がいますとか、その代表と官や学が話をすればよいというような構図と高知県の状況は全く違いますもんね。

岩城：まったく違いますし、土佐経済同友会とか高知県工業会とかいろいろあって、提言もいただき、いただいた提言の内容を実行していくべきと県も念頭において取り組んでます。けど、それが本当の連携かというと、それだけじゃないと思うんですね。

例えば「高知県で豊かに暮らしていくために」というテーマがあるとします。そうした時にこの部分についてはこういうアイディアがありますよ、こういう部分についてはこの産と官がしっかり連携しますよ、と大きな器の中でいくつもの実効的な産学官の連携が機動的に機能しているというイメージでしょうか、あるべき姿というのは。

受田：言えるのは高知県の規模を活かし切ることでしょうか。県民レベルで見ると、学の立場の県民もいれば、産業界に関わっている県民もいれば、行政に関わっている県民がいます。その県民同士が常に情報を交換し合いながら、あるいは必要に応じて協議をして、交流を活発にし課題解決の体制を構築していく。要は形式ばった連携ではなくて、県民としてより密な関係性を構築した上でさまざまな課題解決にあたっていけるような、そんな関係性を維持発展させていくということだと思います。まさに「高知家」のイメージですね。

岩城：この部分に関しては、形式をしっかり作るといっても、それだけになって終わってしまう可能性もあるので、そういう何か起こった時にしっかり情報交換し、協議し、これを解決していくにはどうするのか、ということですね。

時代が大きく変わることがあります。世の中が大きく変わって1年後には想像もつかないようなことになっているかもしれない。今回のコロナもそうです。行政の運営の仕方も全然違うかもしれない。例えば、押印の廃止とかをどうしていくのか。他にも、例えばデジタル化。セキュリティの問題であるとかという時に、庁内でデジタル化についていろいろ話はしてますけども、ある程度一定の結論が出た時、世の中はさらにもう一歩先に進んでいるかもしれない。世の中が変わっていこうとしている時に、大学の先生方とか地元にいろいろアイディアを持っている企業がありますから、いろんな形で提案をどんどんいただいたり、それができるだけ多くの地元の企業と大学が一体となって取り組んでいくということができたらいいなと思っています。

受田：最近、国からも、「地域連携プラットフォームを作れ」という指示が各大学に来ているんです。これはいろんな捉え方があるんですけど、地域の持続可能性に関して大学が主体となった協議の場を作るイメージです。産業振興計画で我々ご一緒する時は、言ってみれば私も大学人として有識者の立場で入ってますんで、組織を背負って入っているわけじゃないんですね。ある意味、好きなことを言って個人の責任でやっているわけで、本当だったら大学組織を背負って代表としているという立場の人がいてもいい。そういう場があれば、もっと連携の真剣度というか、大学としての関わりの強さも増していくんだろうし、産業界も人事《ひとごと》じゃなくて「自分たちが」ということで、その場で前向きな意見が述べられるんじゃないかというふうにも思うんです。

●IoPを高知県の産学官連携の代名詞に

受田：そういう産学官連携の場という意味で、今IoP事業を園芸農業生産性日本一を誇る高知県の施設園芸農業のDXという形で、県の農業振興部や工科大学の情報系の先生方、高知大学は農林海洋の特に施設園芸に関わる先生方、ここにJAのみなさんやそれからDXに直接かかわるIT系の企業の人、また全体のマネジメントを担えるような人たちを集めてかなり大きな規模で取り組んでいます。

これまでの環境制御による施設園芸農業の日本のトップランナーとしての地位を揺るぎないものにしようというチャレンジングな取組です。最も大きな特徴は､施設内の環境に加えて、栽培しているナス・ピーマン・キュウリ・ミョウガ・ニラ・シシトウやトマトなどの生育段階における生理生態、例えば株や葉あたりの光合成や転流、蒸散や着果負担などをすべて見える化し、そのデータをクラウド上に集約する、という点です。このクラウド上に集積されたデータをAＩなどの技術によって、「見える化」から「使える化」、そして「共有化」することで、農家のみなさんが「もっと楽に、もっと楽しく、もっと稼げる農業」へと進化されることを目的としています。地域の高等教育機関、県庁と県の農業技術センターやＪＡなどがタッグを組んで総力戦で展開しています。

岩城：興味深い内容ですね。そういう形のものが1つだけでも「産学官連携です」と自慢できるようになるといいと思うんです。これが代表選手として何年かは通用するような事例だと思うんで、これに負けないような事例がいくつも出てくるような状況になればいいなと思っているんです。

このプロジェクトの研究面における最も大きなチャレンジはどんなところですか?

受田：これまでに全く手が付けられていない、いわゆる「ブラック・ボックス」の「見える化」です。実は、園芸品目の生産における最前線である植物体内の生理・生態情報がまさにブラック・ボックスだったんです。工業生産のモノづくりでは、生産の現場におけるすべてのプロセスが可視化され、詳細に解析されて最適化されています。生産効率や生産スケジュールなどのすべてのプロセスが双方向で制御され、全体の生産工程が緻密《ちみつ》に管理されているんです。これに対して、農業の目的である植物生産においては、最も重要な植物の生育における最前線のデータが皆無の状態で、産業としてのモノづくりが営まれているのが現状です。

当然、このブラック・ボックスで起こっていることが見えるようになれば、その生産性も大幅に向上することが期待されるわけです。篤農家《とくのうか》はこのブラック・ボックスを経験と勘による「心眼」で読み解いて、自らの好成績を挙げているので、その「心眼」を形式知として、産地みんなで使えるようにしましょう、というのがこのプロジェクトの目玉になります。

岩城：順調に進んでいるんですか？

受田：今4年目をやっていて、順調に進捗しています。これもいきさつがいろいろありましたけど、私が事業責任者をやっていて、当初の5年間で県費と国費合わせて約40億円というとんでもない規模のプロジェクトです。もちろん失敗は許されませんし、どこまで成果を上げていくか、農業振興部中心に引っ張っていただきながら、力を合わせて進めているところです。これは、尾﨑知事が国に働きかけ、地方大学・地域産業創生交付金の対象として国内最初の選定地域7か所の1つとして立ち上げてきました。この成果が国の地方創生においても試金石になると思うんですね。

一方、DX関係で言うと、県内にそれを担える人がすべているかというと、いないんです。

引用元：内閣府地方大学・地域産業創生交付金（H30年採択）高知県申請書

本プロジェクトの概要（申請時）

「次世代型農業」として、温度、湿度、炭酸ガス濃

ミクロに解析し、*in situ* で見える化する技術を開発する。それらの情報を、ハウス内の環境データと共に

度などハウス環境を「見える化」してきた高知県では、特に2014年から始まった「次世代型こうち新施設園芸システム」の取組みによって、ハウス内環境が見える化された次世代型ハウスの整備が一気に進み（2015年から2017年の間に32.6 haの整備、さらに2015年から2020年の間に66 haにまで拡大）、高知県の主要7品目（ナス・キュウリ・ピーマン・シシトウ・ニラ・ミョウガ・トマト）については35%（2020年度末では55%）の農家に環境制御技術が普及した。一方で、見える化された環境データに基づく制御についてはまだ「ほぼ手動」で、より効率的で省力化したシステムの確立が求められていた。

さらに篤農家と呼ばれる、明らかに高い収量を上げる「暗黙知」に基づく優れた実績を持つ生産者の技術を「形式知」へと変換し、他の一般農家が同様の高い収率を挙げられるように、産地としてのレベルアップを図る必要もあった。また上述の環境データ以外にも、収量に影響を与える因子を見える化することが技術的に求められていた。

これらの課題に対して、本プロジェクトでは高知大学IoP共創センターの北野雅治センター長を中心に、「光合成」や「蒸散」などの植物の生理・生態情報をクラウド上に集積し、そこにAI技術も駆使することで、生産性の最大化と紐づけ、農家が現場で使える環境を整備する（「使える化」）。さらに、その情報を営農支援にも活用し、産地としての飛躍的な発展へ向けて「共有化」できるアセットへと深化させることを目的としている。

本プロジェクトの主なKPIを以下に示す（定量的数値については2018年から2027年度までの累計）。

①野菜の産出額の増加額130億円／②農業現場への新規雇用就農者数1,000人／③専門人材育成プログラム受講生の地元就職・起業数100人／④大学組織改革の実現／⑤施設野菜の労働生産性の上昇率20%／⑥次世代・Next次世代ハウスの整備面積233 ha／⑦売上3,000万円以上の販売農家数倍増／⑧施設園芸関連産業群の集積（機器・システムの2018年からの累積販売額）100億円

さまざまな野心的数値目標を設定しつつ、その実現が高知県の施設園芸農業の立ち位置を揺るぎない国内トップから、さらに世界の最先端を走るオランダに追いつき追い越すことを思い描きながら、一丸となって進めている。

どんどん誘致してこないといけない。これはもう人材誘致に近い。さらに言うと、農業生産者の方々がＩｏＰの技術をどれぐらい自分事として実践してくださるかが今後の成功の鍵を握っています。

さらに国の方からは、ＩｏＰというのは一次産業でも農業だよね、もっと先を見据えた時に本プロジェクトの果たす役割って何なの？というところまで問われていて、それが新しい、キラリと光る地方大学の未来につながるはずだと、ものすごい大きな期待を突きつけられてまし

て…。いや本当にこれ、最近の私自身の中では非常に大きな負担ですし、大きなプレッシャーでもあるんですよ。

岩城：関係者も多いし、注目もされていますしね。

受田：いろいろ言う人もいます。ある意味、産業振興計画の立ち上がる時の、未来を開いていく夜明け前の時と似て、反応はいろんなところから得られるけども一様ではなく、否定的な反応やある意味斜めから見ている人たちも多い。でも本当に真剣に動くと、産業振興計画のように、メインストリームになっていく。その状況に近いなと思っています。

岩城：それは逆に良い状況じゃないですか。みんなが「はいはい」と言うんじゃないのは…。

受田：誰も正解はわかりません。おそらく10数年前に県の産業振興計画を推進し始めた時、もちろんうまくいくと思っていましたけれども、ここまで描いていなかったんじゃないかと思うんです。

今、産学官連携も実質化することが絶対的な要件になっているんですが、そういうチャレンジングな場ができていると思います。日本全国からも注目されながらこのプロジェクトを推進することができるようになったこと自体が、産業振興計画の成果かもしれないと思います。

岩城：その通りです。産業振興計画の目玉の一つだと思います。

受田：ＩｏＰは、産業振興計画の農業振興のトピックとして位置づけられています。ここからさらに施設園芸農業の進化を通じて、他の一次産業へ展開していくことを具体的に描いていきます。一次産業全体をDX化していきながら、どう高知県の基幹産業のネクスト次世代を描いていくか、というビジョンです。プロジェクトを通じて大学も中心的役割を担いながら、産業振興計画のKPIをさらに飛躍させ、もっと高めていく、そして一次産業関連産業群へと波及していくことを狙っています。

岩城：そのためには、まず足元である施設園芸で実績を上げていくことが重要ですね。現時点のIoPプロジェクトを実現していく上での課題はどのようなところにあると見ていますか。

受田：産業振興計画で農業はすごく成果を出しているんですけども、それでも問題点としては就農者が減っていることがあります（113頁参照）。減っているけど生産額が上がっている。つまり、生産効率は上がっているんですけど、どんどん右肩上がりで上げられているかというとやっぱり人は減ってますから、耕作面積自体を上げながら、ひとりひとりの生産効率をもっと上げていかないといけません。

やっぱり就農者の確保は大事で、もっと増やしていかなければならないということです。そのために「就農したい」と思ってもらえる魅力的なプロジェクトがもう一方で走っていないといけないということで、こういうIoPのプロジェクトがある意味モデル事業として進んできたんです。ふつう、このようなプロジェクトにいきなり国は予算を付けません。付けたのは、これまでの実績があるからなんです。

岩城：たぶん全国の7つの中で評価としてはめちゃくちゃ良かったんじゃないでしょうか。

そういう話を聞いてます。

受田：国の資金が出てるのは、高知県以外では、徳島県、広島県、北九州市、そして富山県、岐阜県、島根県、この7つなんです。最初は相当改善すべきところを指摘されていましたけど、非常に著名な方々が大勢いらっしゃる評価委員の方から突きつけられるものに対してしっかりお応えをしていくうちに、徐々に評価が上がってきているんですよ。今は7か所のうち、たぶん3本の指に入り始めていると思います。

IoPを今後は一次産業のDXという形で、そのプラットフォームとして、いろんな見えないデータを全部見える化していきながら、林業はもともとGPSをはじめ、かなり計測技術によって見える化されてきていますので、水産、特に栽培漁業の関係などもっと見えないところを見えるようにします。農業で言えば、例えばナスだったら、1つ1つのナスの実がどうなっているか、1枚1枚の葉っぱが今どれぐらい光合成していて、この光合成によってこの後どれぐらいの収穫量が見込めるかまで、全部生理生態を数値化しています。さらにその技術を他の園芸産品においても確立していきます。

こういう技術は今までなかったんです。これまで暗黙知の固まりだった農業を形式知に変えていく。それによって新たな価値創造と緻密な制御につなげ、コントロールができるようになるということをすべての一次産業に広げていきたいと考えています。これができるようになれば、ものづくりのみならず、そのプロセス自体が価値を持っていくので、ビジネスとして成立するようになるわけです。

労働集約型の代表的な一次産業を、データ駆動型、知識集約型のスマート一次産業へと発展させていきます。そうなれば、高知県の未来はとても明るいと思います。

岩城：そうですね、一次産業全体で十分考えられる可能性があるということですね。

受田：今は一番しんどいところで、産みの苦しみを味わいながら、もうひと頑張りしながら、と思っています。

●尾﨑知事から濵田知事へ、そして産業振興計画の未来

受田：今の濵田省司知事に代わっていくところを岩城さんは副知事としてお仕えされてきました。尾﨑知事が後継として指名されるのは同じタイプの人かと思ってましたけど、全く違うタイプでした。

岩城：私は濵田知事のことは前からよく知っているんです。というのは、総務省で人事をやってましたから。私も、総務省からの派遣人事の関係で年1回は必ずお会いしていました。尾﨑知事が退任する決意をした時、後任について「岩城さん、どう思いますか」と聞かれて、私は「濵田さんがいいと思います」と言いましたが、そこで意見が一致したんですよ。

もちろん、お2人のタイプは全く違います。お2人の産業振興計画への対応の違いをあえ

て一言で言うと、熱量だと思います。尾﨑知事にとっては自分が作った計画ですから思い入れは我が子のことのように心配をして、路線変更したりバージョンアップしたりしながらやっていった。濵田さんは前知事が作った計画で、すごく良くできているという評価をしているけれども、やっぱり思い入れは違って当たり前です。

それともう1つは、やっぱりコロナです。就任後、ずっとコロナばかりで、人と会う機会もない、ただ嵐が過ぎ去るのを待つのみという状況。だけども幸いなことに、形はできてますし体制もできてますから、ウイズコロナ、ポストコロナを見据えて今作戦を練っていると思うんです。

産業振興計画についてはこれからいつまでやるんだろうかという話もありますが、私としてはこの計画は素晴らしい計画だし、多くの県民が「ここはこうしてもらいたい」という要望はその都度あるだろうから、行政として何らかのことができるのであれば、この計画の中でやっていくべきじゃないかなと思います。ぜひ多くの県民に良かったと思われるような計画であってほしいなと思いますね。

受田：濵田知事とは、私も知事が就任してわりと早い時期に、前知事とそれから井上副知事がまだ産業振興推進部長の時に一緒に食事に行って、産業振興計画も含めて意見交換をしたということがありました。その時、新知事と一緒にゆっくりお話をした印象としては、それまで想像していた通りで、人の話をこれだけしっかり聞いてくださるのか、というものでした。

もうまったく前知事と違って、いや別に尾﨑知事が聞かないという意味ではないんですけど、とにかくずっと聞いてくれましたね。

尾﨑知事の場合は一定の時間の制約の中で、どれだけ短時間に琴線に触れられるようなことをお話できるかっていうことでいつも勝負みたいな感じでしたけど。それがなんと言うか、「どうぞお好きにお話しください」みたいな感じで、全くタイプが違う。すごい安心感があるんですけど、逆に言うとすぐに反応が返ってこないので掴みにくい。

岩城：人の意見をよく聞くという点は非常に長所だと思います。さらに地方自治には精通していますし、〝地方自治のプロ〟と言ってもいいぐらいですから、そこは前知事とは違うやり方で県庁をうまくまとめ上げていくと思います。

県庁の職員にも戸惑いはないと思います。職員が何か抜け落ちた点を見つけると、前知事と同じような視点で「これはこうせんといかんと思います」と新知事に提案することがあるんですよ。それは大したもんやなと思って…。一方、濵田知事も「そうですね」「そうしましょうか」と素直に聞いて、コミュニケーションを取っています。

産業振興計画に対する熱量って言いましたけど、長寿県構想あたりにも熱心ですね。前知事の場合は産業振興計画も長寿県構想も中山間地域も非常に熱心だったですけど、今の知事はもう産業振興計画はある程度出来上がっている、長寿県構想の方に自分の考え方を言って方向性を変えるということもあります。いずれにしろタイプは違いますが、お２人とも素晴らしい知事だと思います。
受田：コロナが収まってくれば、濵田知事も考えておられることはたくさんあると思います。もどかしい思いは一番ご本人がされていると思いますので、我々も尾崎知事とはタイプが違うということも重々理解をした上で、大学としてしっかり濵田知事と共に一緒に取り組んでいきたいと思います。
岩城：大学が主体になってもいいし、その中で県とどれぐらい連携できるのか、逆に提案とかいろいろしながら一緒にやっていくという形を、先生がいる間だったらいくらでもできると思うんでお願いしたいなと思います。
受田：ありがとうございます。前の知事にもおっしゃっていただいたのは、「大学とは一連托生でやっていきましょう」。今の知事にもわりと早い時期にそうおっしゃっていただきました。この意味は、完全に同志であり、同じ目的に突き進んでいく仲間であるということになりますので、そのことをしっかり肝に据えて私もご一緒したいと思っております。
岩城：尾崎知事も私も辞めましたし、すでに退職している部長もたくさんいます。とにかく今や、先生が一番長く産業振興計画に関わっている人となりましたから…。
受田：メンバーはどんどん変わっていきますが、尾崎知事や岩城副知事が築いてきた成果や考え方をきちんと語り継ぎ、基本的なＬＸの考え方を見失わないように説明していくことが今の私のミッションだと思うんです。

岩城：最後にそのことをお願いするつもりでおりました。

受田：いつフォローアップ委員会の委員長の立場を誰かにパスできるのか、課題はありますし、さっき言ったことの裏腹にもなってしまいますが、これをパスして担っていただける方が出てくるのかどうか…、毎年毎年新たな取組が積み上がっていることから、難しくなっていってるように思います。これまで本当に変革していくということでここまできた産業振興計画であり、高知県政であるということからすると長くなりすぎて錆び付いてはいけませんし、変わらないことを志向してしまう「現状維持バイアス」が働いてもいけません。それを常に意識できている間はまだ微力ながら貢献できるのかなと思っています。

岩城：産業振興計画の推進に見られるその姿勢、その業績、高知県知事として尾﨑知事ほどの人材は今までもいなかったし、今後も出てこないと思います。そういう方と8年、部長時代入れると12年間ほぼご一緒できたことは非常にありがたかったし、貴重な経験だったし、おかげで私の公務員生活も想像を超えて充実したものになったと感謝しています。私も県ＯＢとしてまだ役割はあると思っていますし、ぜひ今後ともお互いに信頼できる仲間としてよろしくお願いします。

受田：こちらこそよろしくお願いします。こうやって岩城さんとお話ができていること自体がある意味、私が県とご一緒しながら活動してきた生きた証しだと思っています。本当にありがとうございました。

第3章

ローカル・トランスフォーメーション（LX）の本質

ここまで、高知県における産業振興計画がどのような目的と手法によって実施されてきたのか、そしてその成果とともに直接的な効果や間接的な影響などについて、この産業振興計画に深く関与した当時の岩城孝晃副知事と著者とで振り返ってきました。

1年かけて作成した産業振興計画のタイトルは、「変わろう、変えよう、産業と暮らし」でした。このタイトルを、私は「LX（ローカル・トランスフォーメーション）」と読み替えました。高知県民を「その気にさせて」、「やる気に火を点けた」流れが、まさにLXであったからです。

ここからは、この一連の産業振興計画という具体例を通じて、LXの本質について考えてみたいと思います。

1　「どうなるか」から「どうするか」へ

まず、産業振興計画は策定段階から多くの県民を巻き込みました。岩城副知事は1800人の県民を巻き込んだと言われています。高知新聞に産業振興計画の認知度に関して、興味深いデータが出ています。それは平成21年7月に実施した世論調査で、産業振興計画の認知度がなんと8割、そして55％以上の方が「期待している」と回答しました。この高い数字が県民の巻き込みを反映しています。さらに平成31年1月に発表された同じ世論調査で、「産業振興計画が効果がある」と回答した方が54％でした。10年も経過して、県民がその実効性をこれほど高い割合で実感しているのは驚異的だと言えます。

対談でもご紹介しましたが、策定委員会の第1回目のこと、委員の中からボトムアップ的議論では上手くいかないであろうとの否定的な意見が出されました。対案としては、知事のトップダウンで数値目標を掲げ、県庁職員を総動員してその実現に動くべきであるなどの雰囲気があったことは事実です。しかしながら、尾崎正直知事は県民の意識を「変わろう、変えよう」としてボトムアップの議論を呼び掛け、その策定の場に県民の叡智を結集させる道を敢えて選んだと考えます。それは、茨の道を選ぶ決断でした。

当時の様子を思い返すと、多くの県民は常に、このままいくと高知県は「どうなるのか」ばかりを考えていたように思います。日本中が景気の上向く中で、高知県のみが明らかに取り残されている現状。有効求人倍率は全国の半分以下で、恵まれた雇用の場がない。さらに１９９０年（平成2年）に、日本中で最初に人口の自然減（出生数よりも死亡数が上回る現象）が観察されていたのです。日本全体で人口の自然減が認められたのは２００５年（平成17年）ですので、15年も日本全体の傾向を先取りしていました。

結果的に、人口の減少傾向は顕著で、域内の経済規模がその減少の傾向と相まって縮小していました。県民の多くに「このまま人口が減少していくとどうなるのだろう」と不安が広がります。人口の減少は高齢化率を相対的に押し上げる傾向を強めますので、「人は減り、年寄りだけになる」といったような会話ばかりが聞かれていました。子供達には「こんな高知県にいるよりは都会に出ていく方が良い」との思いが広がり、人口流出を積極的に進める内部圧力の高まりさえ感じられました。

当然、この考えは人口の自然減に加えて、「社会減」までを促進し、まさに加速度的に正味の人口を減少させる雰囲気であったと言えます。「このまままいったらどうなるか」。こんな会話が巷で聞こえてくるのは当然の流れだったのかもしれません。

現状を打開して「変革」に導くには、この現実をしっかりと見つめる、つまりこの状況を危機として客観的に認識することが求められていました。崖っぷちに立たされた人には、「落ちる」か「持ち堪える」かの二者択一しかありません。その岐路の場面で、「落ちてたまるか」という意思表示をした人々の力を結集する道筋を産業振興計画が整えた、と考えられます。その選択をした人は全て同じ方向を向きます。崖を背にする方向です。それまでは高知県民の特徴として、なかなか同じ方向を目指す雰囲気がありませんでした。出る杭は打つ傾向と言うとお叱りを受けますでしょうか。それが見回してみると、崖に背を向けた人々が大勢いることに気が付いたのです。この瞬間を演出したのが産業振興計画だと考えています。

自然の流れに従えば道は「消滅」にまっしぐらです。そこを変革して、「持続可能」な高知県にするためには、「どうなるか」という他力本願から「どうするか」という地力本願にマインドをシフトさせる必要があったのです。

地域産業の活性化で活躍されている一橋大学名誉教授の関満博先生から、以前、詠み人知らずの次の言葉を伺いました（最近、この言葉の原型は吉田松陰が残した「夢なき者に理想無し」ではないかと知りました）。

「夢」がある人には「希望」がある。
「希望」がある人には「目標」がある。
「目標」がある人には「計画」がある。
「計画」がある人には「実行」がある。
「実行」がある人には「結果」がある。
「結果」がある人には「反省」がある。
「反省」がある人には「進歩」がある。
「進歩」がある人には「夢」がある。

最後の「夢」が最初につながっています。このループの中に入れば、自ずと「夢」と「希望」に満ち満ちた地域が描けそうです。しかし、「夢」は静的にそこにあり続けるものではありませんし、「希望」の灯も寿命のあるものです。常に消えては生み出され、生み出されては消えていく、動的な本質があると言えます。その動的な姿を持続していくには、「希望」を「目標」に変え、そして「計画」に落とし込んでいく作業が求められることを、このループは示唆してくれています。

これまで高知県民はこのループに入っていませんでした。と言うよりも、「どうなるか」しか考えていなかったため、ループに入ることを拒み続けていたと言えるでしょう。ところが、尾﨑知事の産業振興計画策定の大号令とともに、自らが「目標」を考え、それを「計画」として見える化、共有化して、このループの中に参加することになったのです。

一旦入れば、このループの意味していることは「夢」が描けること、と理解できるようになります。もちろん「実行」「結果」「反省」という、いわゆるＰＤＣＡサイクルを徹底しなければループはやがて止まってしまいます。尾﨑知事のもと、産業振興計画は平成21年度から「実行元年」として動き始めました。対談で語っていただいた初代の産業振興推進部長、岩城さんのご貢献はとても顕著なものがあることは言うまでもありません。その貢献は、このループを回し始めるというとてもエネルギーが求められる「産みの苦しみ」を担ってこられたことです。

ここからはＰＤＣＡサイクルの徹底と、５Ｗ１Ｈの追求、さらにはＫＰＩと呼ばれる重要業績評価指標を明確にして、「反省」から「進歩」を「夢」につなげる推進を不断に図っていきました。ここにおける「産業振興計画フォローアップ委員会」の役割も極めて重要であったと考えています。

「どうなるか」から「どうするか」へギアシフトすることを上記ループへの参画の条件として捉え、それぞれの置かれている現状についてどこに課題があるのかを常に自己評価しながら、そのループを最大のスピードで回し始めることを、ＬＸの最初の要諦として学んでおくことは重要だと思います。

2 「課題先進地」から「課題解決先進地」へ

産業振興計画が策定されることになった平成20年前後において、高知県の雇用情勢は国内でも最悪でした。それまでは国内の有効求人倍率が上昇すると、少しのラグはあったにせよ、やがて同様の傾向を示すことが認められていました。ところが、産業振興計画策定の前においては、その傾向はまったく認められず、国内の流れから完全に取り残されている状況でした。さらに県民の平均所得も、それと連動するように国内において最低レベルであり、満足する仕事がない、結果的に所得も上がらない、という状態が定着していました。

社会的な経済環境とともに進行していた「静かなる有事」も深刻です。前に紹介したように、日本で最初に人口の自然減が確認されたのが高知県でした。その傾向が日本全体として認められたのが、15年後の平成17年です。一方、出生数が減少してさらに県外への人口の流出も止まらず、その流出の中心が若い世代、特に年齢20から24歳の区分であったことから、自ずと高齢化率も相対的に上昇していくことになります。現在の高齢化率も32・8％で、国内の平均26・6％を6.2ポイント上回っています（平成27年国勢調査結果による）。

人口の減少は、主に中山間部や県庁所在地以外の郡部から拡がっていく傾向にあります。国内では東京一極集中が問題視されていますが、地方都市においても、県庁所在地とそれ以外の地区での人口のアンバランスはほぼ同様の規模で認められます。結果的に、中山間では人口密度が低下して、産業の維持どころか、日々の住民の暮らし自体を維持することが困難な状況に直面しています。典型的には、一人暮らしの高齢者世帯が増え、公共の交通機関が撤退するとともに移動手段が失われ、買い物難民となり、さらに近隣の病院も廃業に追い込まれて、通院すらできなくなるといった状況です。そう言えば、地域の集落の人口減や高齢化により、日常のお祭りや冠婚葬祭などの地域を挙げての活動が営めない地域を「限界集落」と呼ぶようになったのも高知県が最初の事例でした（高知大学・大野晃名誉教授が提唱）。

さらに平成23年に発生した東日本大震災以降、南海トラフを震源域として発生が予測されている巨大地震に伴い、高知県幡多郡黒潮町では34メートルの津波が襲うことも予想されてしまいました。波高から見ると国内でも最悪の津波襲来地域です。この発表以来、企業の高知県進出を持ちかけるには極めて不利なハンディとなりました。企業誘致どころか、県内企業の流出にまで懸念が広がっているのです。

これらの高知県が直面している課題は極めて深刻です。これらを解決に導いていくには、とてつもない努力と画期的な工夫が求められます。そもそも人口減少や高齢化などは、高知県の独自の問題というよりも、わが国でやがて直面する深刻な課題を先取りしていると捉えることもできます。人口の自然減は15年先取りしていますし、高齢化率も現在の高知県における割合に全国がやがて達することは明らかで、横軸に平行に直線を引くと高知県と全国のグラフとの差が約10年で

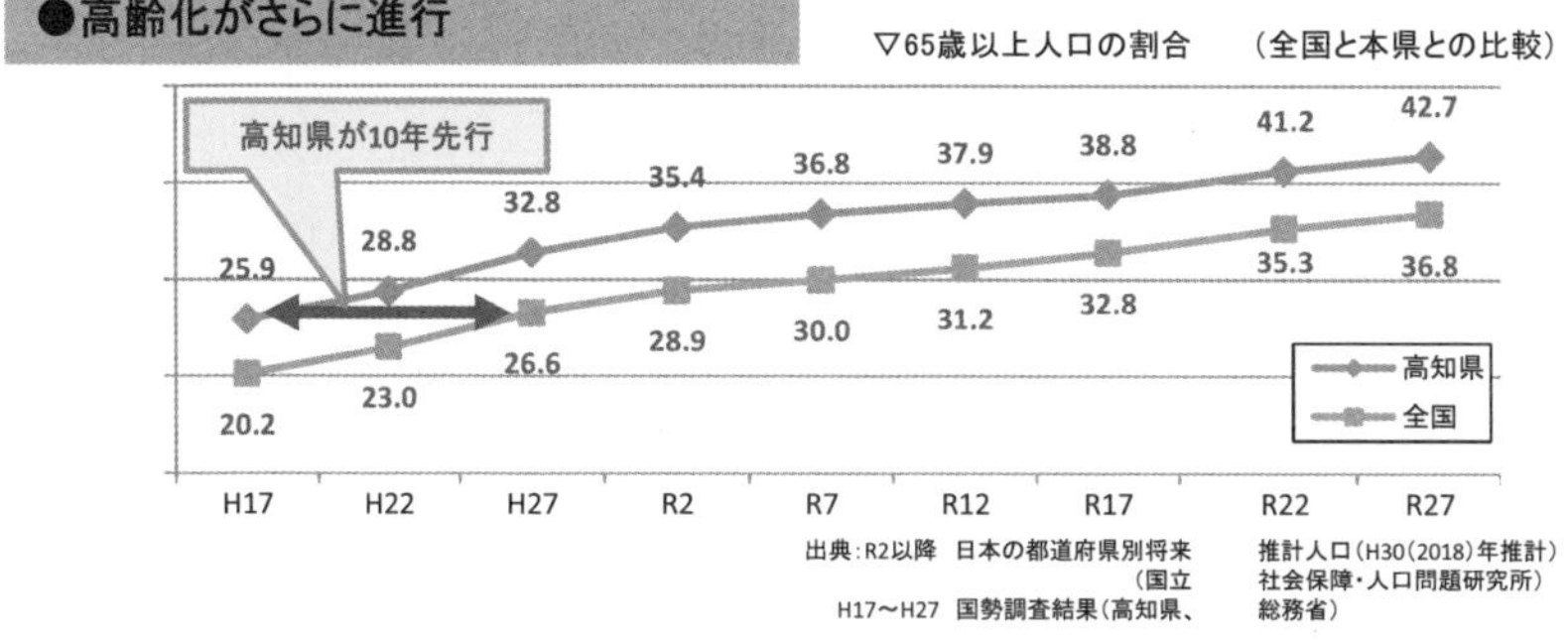

出典：R2以降　日本の都道府県別将来推計人口（H30（2018）年推計）（国立社会保障・人口問題研究所）
H17〜H27　国勢調査結果（高知県、総務省）

第４期高知県産業振興計画 ver.2 PR 版パンフレット（令和３年６月）より

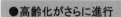

あることが分かります。つまり、現在の高知県の高齢化率に約10年後に全国の数字が追いつくという理解です。

これらのことから、高知県の課題を我が国の最先端のモデルとして位置づけ、高知県を「課題先進県」と呼んだのも尾崎知事でした。「先進」と呼んだのがポイントで、そうであるならば、この直面する課題を卑下して「諦めの境地」に入ることなく、誇らしくその課題を正面から捉えて、解決への足掛かりを見出していこうという狙いです。こう捉えることで、明らかにマインドの変化がもたらされていくことになります。先進の課題はまだだれも直面していないのですから、当事者としてその課題を真摯に受け止めてみます。そして、みんなで知恵を出し合いながら解決を探っていくとともに、その姿を「課題解決先進県」と呼ぶことで、県民は自らの置かれている境遇を逆手に取り、ハンディをアドバンテージとして捉えることができるようになるのです。最下位の「どん尻」にいると思っていたら、「右向け右」の号令とともに、一瞬のうちにトップに躍り出たという感覚でしょうか。

中山間の高齢者の一人暮らしの生活を何としても豊かにしたい、そう考えたら、例えば移動手段を工夫して自動運転の車の導入を加速したり、買い物が難しいとすればドローンによる買い物支援を充実させたり、医療機関との距離の問題を克服するために「遠隔診療」を具体化したり、まずは法律の規制を取っ払いながら利用者の利便性向上を追求することが求められるようになるでしょう。

その試行的な施策が日本全体に普及し、やがて高知県と同様の課題が顕在化していく各地域で、問題が生じる前に対策が講じられることになったり、さらに高知県で試行されたモデル事業が技術的に、あるいはビジネスモデル的に「知的財産」化されるようになれば素晴らしいことだと思います。

アメリカのシリコンバレーはＩＴ企業の集積地ですが、高知県が課題解決の先進地として「ソリューション・バレー」なんて呼ばれて、世界の中心になることもあり得るのです。この「課題先進地」から「課題解決先進地」という意識の変革がＬＸの第2の本質と言えます。

3 「ストック」から「フロー」へ、そして双方向へ

産業的にはかなり厳しい状況にあった高知県ですが、その当時から県民は「私達には手つかずの自然がある」と誇らしく語っていました。県土における森林の面積比率は84％と全国一であり、そこに日本トップクラスの日射量が降り注ぎ、同時に高い降雨量を誇っています。最後の清流と言われる四万十川や仁淀ブルーとして知られる仁淀川は、その豊かな森林や恵まれた環境を背景にしています。

これらの清流は観光コンテンツとして県内への誘客に一役買っているのですが、自然からの恵みは経済的な観点からすると十分に利用されているとは言えませんでした。高知県の森林資源は、日本一の森林率から量的にも優れた「ストック」であると言えますが、どのように利用していけば良いのか、特に低コストの輸入材との戦いで常に苦境に立たされていました。そのため、林業従事者は減少し、やがて山の手入れが行き届かなくなります。そうなると、木の価値自体が維持できなくなるばかりか、路網も含めて伐出の体制が維持できなくなっていきました。

産業振興計画策定の頃、木材としての賦存量は大変高いものがあるという表現で森林資源の価値が説明されていましたが、動かないストックには経済的価値は見出せていませんでした。ご承知の通り、これまでの経済的な評価はすべて「フロー」、もっと言うとGDPという経済指標で語られてきたからです。GDP自体は需要と供給に基づき、消費されることで数値化されます。つまりマネタイズ、お金が動かなければカウントされなかったのです。

このような何とも杓子定規な経済的指標を斜めから眺めながら、高知県は日本全体の経済的な発展から取り残されていました。

ところがここに、経済指標である「フロー」のみならず、「ストック」にも価値があり、その評価を含めることで真の豊かさが評価される、という考え方が登場してきます。「新国富論」という考え方です。この「新国富論」という考え方は、平成24年に開催された国連の持続可能な開発会議（リオ＋20）で提示されました。簡単に言うと、ＧＤＰ（フロー）では見えない、私達やその先の世代が受け取る富（ストック）を試算し、真の豊かさを計る考え方です。

高知県のような地域は、森林資源を含めた「自然資本」のストックが豊富です。また、地域には掛け替えのない豊かな人的資本も集積していますが、この人的資本も価値として見える化することがこの新国富論の真骨頂です。ストックの価値が見える化されずに、豊かさの序列から排除されていた高知県としては、まさに「わが意を得たり」というところでしょう。この新国富論の考え方に立てば、ストックされている資本も明確な価値として数値化されていきますので、高知県のような地方においても、豊かさの本質をしっかりと客観的に把握することができるようになるのです。

改めて、新国富論で高知の資本を捉え直してみます。先人たちは自らの生業として、その世代の豊かさのため、資本を消費していました。一方で、その世代の直接的豊かさとは別に、将来世代の豊かさのために森林資源を始め長期的に投資してくれていたのです。そして先人の思いは、賦存量の増加として現在世代に確実に継承されていきました。この継承されたストックを物理的な価値から経済的な価値、すなわちフローへと転換することで、現代の世代は先人の思いを豊かさとして実感できるようになります。

産業振興計画の策定段階において、尾﨑知事はすでに岡山県真庭市にある「銘建工業」の中島社長とのコンタクトから、木材の新たな活用としてCLT工法に目を付けていたのです。賦存量の大きな森林資源の強みを活かし、その利活用策として新たな用途を開拓する、まさに課題解決先進事例のひとつと言えます。具体的には、銘建工業の出資による「おおとよ製材」の誘致に成功し、賦存量としてストックされていた木材をフローの価値へと転換することに成功しました。そして、間伐や皆伐でストックされていた木材を製材してマネタイズするとともに、植林で山の再生を同時に進めることにより、未来の世代に対して豊かさを継承したのです。

平成27年以降、国連が提唱しているSDGsの17の目標が国際的に注目されるようになってきました。ストックの宝庫である高知県がその一部をフローとして利用しながら、将来世代への豊かさの継承を目指していく持続可能な活動は非常に分かりやすく、県民に理解を得やすい考え方です。

産業振興計画の基本的な概念が、このストックからフローへ、そしてフローからストックへの双方向の追求、つまり持続可能性と資源利用の両立の追求であると理解することは重要です。この持続可能性こそが、LXの第3の本質と言えるでしょう。

4 「暗黙知」から「形式知」へ

高知県には手つかずの自然があることをお話ししました。もうひとつ、高知において価値を見える化できていない「もったいない」資産として、数々の「暗黙知」があります。

ナレッジマネジメントで著名な野中郁次郎先生は、「暗黙知は、身体での個別具体の経験を通して得られる信念や思いを含んだ主観的な知識で、言語化しにくい」知識のことを言うと定義しています。「祭り」や「風習」、「伝統」や「職人技」などがこれに含まれます。

例えば、高知県が生産量日本一を誇る「ユズ」。このユズは一般的に接ぎ木で栽培され、2年から3年ほどで実が収穫できるようになりますが、種から栽培されたユズも生産されています。この実生《みしょう》のユズは何と実が成るまで18年ほど掛かると言われており、「桃栗3年、柿8年、ユズの大馬鹿18年」などと表現されています。時間を掛けて生産されている実生のユズは接ぎ木に比べて風味が豊かだと言われていますが、通常の接ぎ木のユズとの差異は客観的に説明できていません。

また、高知県と言えば圧倒的にカツオが有名です。毎年夏に発表される「じゃらん」

主催の観光アンケートでは、「地元ならではの美味しい食べ物が多かった」県のランキングとして、毎年トップやトップグループに選ばれています。その美味しい食べ物がカツオとされています。では、なぜ高知で食べるカツオがこのように美味しいのか、具体的に説明できていません。もちろん鮮度が良いカツオが手に入るからとか、さまざまな可能性は挙げられますが、客観的ではありません。食に関して言えば、他にも400年の歴史を誇る幻のお茶「碁石茶」など、とても魅力的であり、かつその魅力が客観的に説明できていない暗黙知が集積しています。

高知が「よさこい」の発祥地であることはみなさんご存じのことと思います。このよさこいの魅力は踊ってみることで良く理解できるのですが、その魅力にはまった方々が全国各地に、さらに世界中に普及させています。なぜこんなふうによさこいは人々を魅了するのか、さらに幕末の維新の志士達を多く輩出したのはなぜか等々、興味の尽きない暗黙知の宝庫です。

これらの暗黙知の対極にあるのが「形式知」です。「不変の言語や数値によって表現でき、ＩＣＴを使うことによってデータベース化もできる客観的な知識」とされます。暗黙知が説明の難しい感覚的なものであるとすると、形式知は客観的で、社会に認知されやすく、伝達がスムーズであると考えられます。伝達がスムーズでＩＣＴの活用が可能であれば、現在の社会ではプロモーションが簡単であり、拡散しやすいことが容易に想像できます。

問題は、この暗黙知を形式知へと変換する手法です。主観を客観に変換するわけですから、この作業には、科学や史実などの客観的エビデンスを積み上げていくことが求められます。仮説を複数介入させることは許されず、理論的に矛盾のない合理的説明が必要とされます。

このような機能を有する変換機として、地域の大学研究者の積極的な関与が期待されます。実際に、碁石茶の伝統的製法やお茶としての魅力を科学的に解明することが、著者や高知大学医学部附属病院薬剤部の宮村充彦教授、高知県工業技術センターの森山洋憲課長などの研究グループで進められてきました。ユズについても高知大学・沢村正義名誉教授の研究において、さらにユズ産業の勃興の歴史を史実に基づきストーリー化する作業が高知大学・赤池慎吾准教授らの研究チームで展開されており、「日本遺産」の認定も受けているところです。

このような暗黙知を形式知に変換するコンバーターの存在は、地域の誇りを具体的に未来に継承していく上で必須であり、シビックプライドの醸成とともに、地産外商を展開する上で重要な「顧客視点の指名理由」を確立することにもつながると考えます。

高知県では現在、施設園芸のＤＸとして、「ＩｏＰ（Internet of Plants）が導くＮｅｘｔ次世代型施設園芸農業への進化」という壮大なプロジェクトを国の「地方大学・

地域産業創生交付金事業」として展開しています。県下の高等教育機関や県、ＪＡなどが共に取り組む産学官連携事業です。この事業の核心として、施設園芸の最前線である植物体内での代謝をリアルタイムで見える化することを目指しています。簡単に言えば、植物の生産が営まれている株あたり、また葉っぱ一枚一枚で、今どれくらいの光合成が行われているかを明らかにする技術を開発しています。栽培品目の生産性を、これまでの農家の身に付けていた経験に基づいた営農（暗黙知）から、数値データに基づいた精緻な制御（形式知）へシフトを図ろうとするものです。ややこしいですが、ＤＸを通じたＬＸと表現することができるのではないでしょうか。

各地域には、このように多くの暗黙知の塊が眠っているものと推察します。この知識を形式知に変換する作業を通じて、魅力的な形式知のコンテンツを充実させていくこと、さらに産業的な価値を高めて地域の振興に活用していくこと、これらは前項の「ストック」から「フロー」への変革とも同じ文脈として捉えることも可能です。「暗黙知」から「形式知」へ、これもＬＸの要諦のひとつです。

5　「ないモノねだり」から「あるモノ探しへ」

産業振興計画前の高知県では、雇用情勢がかなり深刻な状況にありました。その頃は、全国的に大規模な生産拠点の誘致に乗り出す自治体が多く見られ、税などの優遇策を巡って自治体間での熾烈な過当競争が展開されていました。しかしながら、その後の経過はご存じの通りです。

取って付けたかのように企業誘致を図っても、企業の経営状況の悪化や生産拠点の海外移転などの外部要因によって、優遇策以外につながりが脆弱な国内拠点は撤退の候補として真っ先に挙げられてしまいます。あっという間にその拠点は廃墟となるばかりか、再び雇用は一斉に失われることになりました。その結果、一旦戻った賑わいが急激に失われてしまう虚脱感に襲われてしまうことになります。こうなると、再び立ち上がるまでには長い時間が必要とされることは想像に難くありません。

この頃、高知県においても一部生産拠点の撤退などに見舞われましたが、それほど大きなダメージはありませんでした。逆説的ですが、それまでに大型の企業誘致に成功していなかったことが奏功したことになります。

逆に産業振興計画においては、策定段階から企業誘致的な他力本願一本やりではなく、地力による息の長い、かつ安定的な産業振興の在り方を検討しました。マネジメントの分野ではSWOT分析という戦略立案方法が頻繁に用いられています。

このSWOT分析とは、競合や法律、市場トレンドといった自社を取り巻く外部環境と、自社の資産やブランド力、さらには価格や品質といった内部環境をプラス面、マイナス面にわけて分析することで、戦略策定やマーケティングの意思決定、経営資源の最適化などを行うための、有名なフレームワークのひとつです。

このSWOT分析に基づき、高知県の強みを認識した上で、機会を活かして大きく成長する戦略の立案を試みていきました。

強みを明確にする上では、産業連関表の手法は重要です。特に特化係数（当該都道府県の産業別構成比を全国平均の産業別構成比で割った値で、1よりも大きいと当該都道府県においてその産業が占める割合が全国平均に比べて大きいことを示す）をしっかりと認識して、数字の上での客観的強みとして理解しておかなければなりません。高知県の数値（平成23年度のデータ）で言いますと、農業が3・60、林業が6・22、そして水産業が9・09と、一次産業が基幹産業の位置づけにあることがわかります。一方で域際収支的に見ると、食品産業の赤字幅が大きいことが明確でした。さらに、食品産業の産出額を農業の産出額で割った「食品加工指数」が全国の平均が3近くであるのに対して、高知県は1を大きく下回っており、この値は高知県を含めて全国的に4~5県しかないことが分かりました。

これらを総合的に考えて、高知県の強みは圧倒的に一次産業であり、その強みを活かしていくためには、それらの素材の加工度を上げて付加価値を高める食品を中心とした産業の振興を進めることが有効である、という結論に至ったのです。素材の生産は徹底的に「地の利」を活かしており、強化する加工については県内での内製化までに時間を要する場合には、域外からの力もお借りすることを視野に入れながら、その具体的な戦略を考えていきました。この考え方は、他力本願の企業誘致型とは異なり、地力を付けることで自走が可能な「補完・育成型」というスタンスです。

平成28年に石川県で開催された「『地域の元気創造』全国市町村長サミット２０１６」で、東京大学・神野直彦名誉教授の大変示唆に富むお話を拝聴しました。「発展、英語ではデベロップ、とは何か」について語られた内容です。少し長いですが引用させていただきます。

「それぞれの地域には、それぞれの良さがありますので、発展させるということはそれぞれの地域の良いところを開いていく、ということですね。デベロップというのは、エンベロープ、封をするの反対語です。開くというのがなぜ発展をすることなのか?といえば、種が芽を出し、茎を出して花を開かせるというように、内在しているものを開いていくということが発展なんですね。卵が幼虫に、幼虫がさなぎにというように内在していることを開くことが発展です。そして、外からの圧力で変形していくことは発展とは言いません。木が机に発展していくと言わないのと同じことです。それぞれの地域のメリット。ないものねだりではなく、あるもの探し。あるものを探してそれを発展させていく。」

あえてこれ以上説明は必要ないと思いますが、神野先生の「内在しているものを開いていく」という表現を、私は「内発的進化」と表現してみたいと思います。そして、この内発的進化がＬＸの考え方の要諦になります。この内発的進化として、高知県の産業振興計画では、一次産業の振興、そこに大きく貢献する食品産業の振興に重点を置くことにしたのです。

6 「プロダクト・アウト」から「マーケット・イン」へ

産業振興計画の実行において、食品産業の振興に重きを置いた背景についてお話ししてきました。食品は一次産品の付加価値を高め、その訴求の方法次第では産業振興的に極めて大きな成果を生み出します。また同時に、強化していく観光振興にも大きな波及効果を示すことが期待されました。

一方で、産業振興計画では、食品産業の振興に向けて、企業を対象にした「食品研究会」を立ち上げました。定期的に相談会を開催し、その後の支援策を人的にも財政的にもシームレスにつないでいく仕組みを立ち上げ、親身になった支援体制を構築していきました。その際に気づいたのが、メーカーとしてのマーケティング戦略の脆弱さでした。当然、商品に対する愛着は誰よりも強いことは理解できるのですが、その強さゆえに、市場がその商品にどのような価値を感じるのかを客観的に把握していないのです。まさに「作ったら売れる」という先入観で突っ走る「プロダクト・アウト」の思想でした。この現状を理解しながら、ＳＴＰというマーケティングの考え方、すなわちセグメンテーション、ターゲティング、ポジショニングに関する徹底した理解の促進を進めていきました。

この修行の場としては、大都市圏で定期的に開催される展示会や、バイヤーさんを高知にお招きして、率直な意見をうかがう場を設けるなど、できることは徹底的に進めていきました。それらに加えて、東京銀座にアンテナショップを出店したのです。北海道や沖縄といった固定客を掴んでいた活況なアンテナショップがすでにあり、全国的にアンテナショップブームが訪れていた時期でもありました。ブームであるが故に顧客獲得が一定期待はできるのですが、同時にレッドオーシャンに突入して、弱者は駆逐される流れも十分に予想されました。

そんな中で、高知県の出店した「まるごと高知」は年間売上４・78億円（物販及び飲食）、年間入込客数69・8万人と大健闘しています（令和元年度）。このアンテナショップが東京という巨大市場の評価を生産者にストレートに伝え、その結果に基づく改善を働きかけ、商品のブラッシュアップに大きな貢献を果たしていくテストマーケティングの場として機能していきます。結果的に常にアンテナショップの経営母体である

「地産外商公社」が県内の生産者と綿密に協議しながら、「マーケット・イン」の考え方の徹底や成功事例に学ぶ「協働」の考え方を伝授して、高知ブランドの構築を進めていったと考えられます。

現在、高知県内の食品メーカーに対して、「プロダクト・アウト」から「マーケット・イン」へとあえて説明することはなくなってきています。一方で、現状に甘んじることなく、今後はさらに持続可能な社会を築く次世代のマーケティング戦略を展開できるかが求められてきていると考えています。マーケティング思想の進化をＬＸでは重視しておく必要があると考えます。

7 「企業誘致」から「人材誘致」へ、そして「人材育成」へ

これまでの地方における典型的な「ないモノねだり」の進め方が企業誘致であったことは前にお話ししました。もちろんそのやり方が絶対にダメだと言っているわけではなく、地域の内発的進化に結び付けていく取組であってほしいという願いを込めています。ある意味、理想論ということではあるのですが、一般的にさまざまな課題を抱える地方で、企業誘致の戦略を取らないとすれば、どうやって進化すればよいのか、という悲痛な叫びも聞こえてきそうです。歯を食いしばるだけでは何ともならないわ

けです。通常、課題を抱えている地方では、「人」「モノ」「金」「情報」といった経営資源のどれか、あるいはすべてが不足している状況に直面しています。したがって、不足を受け入れて、どのように内発的に進化すればよいのか途方に暮れるというのはうなずけます。

その場合の解決策は、ないモノは借りてくる、という戦法です。もちろんすべてを丸投げして、他力本願に進むのではなく、できるところは内製化して、足りないところだけを他力で賄うということです。先に挙げた4つの経営資源において、「モノ」と「金」については、行政的な補助で賄うことができるケースがあります。「情報」については、その求める内容に相応しい人脈やルート、さらにはコンサルの手助けによって何とかなる場合もあると思います。残る経営資源が「人」です。これが一番深刻で、多くの地方で共通に認められる最大の課題です。

高知県の産業振興計画においても、食品産業の振興において最も欠けていたピースがこの「人」でした。具体的には、製造技術、工程管理、品質管理、新商品開発、衛生管理、販路開拓、マーケティング戦略など、ほぼすべての専門家が不足している現状が明らかになりました。当然です。不足しているからその振興が滞っていたわけです。そうなると、求められる人材を域外から連れてくることが求められます。何とか、不足している人材を、行政的なサポートの下でアドバイザー契約し、現場レベルで常にアドバイスできる環境を整えました。「人材誘致」です。しかしながら、この状況は脆弱で、行政的な支援が止まればまた元の木阿弥です。最小限の人材誘致で欠けていたピースを埋めながら、一方で内発的な進化を遂げるために内部での人材の育成を図ることが求められました。

ここに手を差し伸べたのが、高知大学が平成20年度に立ち上げた「土佐フードビジネスクリエーター人材創出事業」（土佐ＦＢＣ）だったのです。この土佐ＦＢＣが不足する人材の育成におけるプラットフォームとして機能し、それ以降現在まで14年にわたり食品産業の振興を支える中核人材の育成に大きな貢献をしています。600名程の育成された人材は、さらに自社や関連の組織において、知の再生産を進めるべく、後進の指導を担ってくれています。この取り組みがベースにあることから、計画的に食品産業の社内研修や技術・知識の継承ができているように思います。さらに波及効果として、同じ土佐ＦＢＣというプラットフォームで学んだ者同士の深い絆が醸成され、同窓会組織によるネットワーク化も進んでいます。彼等の連携がさらに相互の情報を補い合い、深め合い、協働での商品開発や事業の連携を進めています。当初にイメージしていた姿から想定を大幅に超えたシナジーが生み出されようとしています。さまざまな方面で特筆すべき実績を挙げる「イノベーター」も誕生しています。

摂南大学の野長瀬裕二先生は「地域産業の活性化戦略：イノベーター集積の経済性

を求めて」の中で、イノベーターの集積には３段階あることを述べています。第１段階が「イノベーターの発掘」、第２段階が「イノベーターの育成」、そして第３段階が「イノベーター間の集密化」です。

土佐ＦＢＣに当てはめてみると、第１段階は受講生の選考の段階に当たりますが、土佐ＦＢＣでは受講生の「やる気」と派遣元の「理解」を尊重しています。第２段階を野長瀬先生は「基底状態から励起状態への遷移」と表現していますが、土佐ＦＢＣの基礎から実用に至る教育プログラムの質と量は、受講生のレベルを明らかに非線型的に高めているものと考えています。そして第３段階です。ここは「接触の利益の最大化」とも表現されていますが、イノベーター同士が持つ「やる気」の遭遇はさらに大きなイノベーションを生み出す原動力になるということでしょう。土佐ＦＢＣの同窓会組織の価値は、これからの地道な努力により継続すればするほど、想定を大幅に超えるシナジーを生み出す可能性を持つことにあると考えられます。

「人材誘致」から「人材育成」へのステージへと、高知県における食品産業の振興は成長してきています。他の分野においても県が主催する土佐ＭＢＡや、高知大学を始めとする高等教育機関のリカレント教育の充実により、不断の取組みとして今後も継続されていくことを期待します。ＬＸにおける「人」の重要性とその育成、そこにおける高等教育機関の貢献について、強調しておきたい最後の要諦としました。

第4章 各地域でＬＸを実践するには

——Ｑ＆Ａによる実践的アドバイス

高知県産業振興計画を具体例として、持続可能な地域づくりを目指したＬＸの考え方を述べてきました。

ここまでの段階で、「ＬＸの考え方は分かった。それでは私たちの地域でどのようにＬＸの取組を進めていけばよいのか」という質問が出てくるのではないかと想像します。頭では理解できたとしても、実践に移せなければ意味はありません。

そのような声にお応えする目的で、Ｑ＆Ａ方式にて高知県産業振興計画を事例にしたＬＸの実践について説明していきます。

Ｑ１　自治体職員です。自分も地域を興していくことに参画したいと思っています。第一歩として、まず何から始めたらいいですか？

詠み人知らずの「夢へのループ」をご紹介しました。往々にして、このループに入ろうとする時、まず「どのような夢を描いたらいいか」と考えがちです。でもこのループは文字通りループですから、別に「夢」から入らなくてもかまわないのです。例えば「計画」から入ること、これまでのさまざまな経験を基に「反省」から入場することも「あり」です。

本書では、入り口として「計画」から入ることをお勧めしています。まず「計画」

の策定から手掛けるとすると、その計画が何のために策定されるのか、「目標」を具体的に定める必要が必ず出てきます。ここから徹底的に議論して、その「計画」を「実行」できるように環境を整えることから着手してみることが第一歩です。そのためには、描いた「計画」を「だれが」「なぜ」「いつ」「何を」「どこで」、そして「どのように」実行していくのか、すなわち5W1Hを明確に描き切ることが最重要です。

これまで、高知県産業振興計画を高知県内の単独自治体で同様に取り組んでみようという動きがありました。香南市と四万十市です。県の産業振興計画に関わってきたという立場から、私にその計画策定や実施のフォローアップへ手を貸してほしいという依頼がきて、実際にお手伝い致しました。その経験からも、この5W1Hの明確化が最も大きな課題になることを痛感しています。

特に「だれが」という行政で言えば、「担当部署」を決めていくプロセスをどのように首長のリーダーシップで決定していくかが最初の正念場です。

Q2　LXという変革を目指すと、必ず抵抗勢力として、変化を望まない現状維持バイアスと闘わなければならなくなります。その抵抗勢力に打ち克つ方法を教えて下さい。

大変難しい質問ですが、実行において克服しなければならない重要な課題です。一般的に現状維持バイアスが働いてしまいますと、「変化」を否定するロジックを積極的に組み立てていく傾向が出てきます。

高知県産業振興計画の場合にも、「こんな計画を作っても意味がない。そうでしょう、高知県はもはや人口も減少しているし、高齢化も進んでいるんですよ。そのような中で振興させようとしてもそれを担う人がいない。地産外商戦略を立てても、人がいないし、東京からの距離があるため、物流コストが重く圧し掛かり、そのハンディを克服することはできないんです」といった声がありました。因果関係を遡り、できない理由を組み立て行く、だからやってもダメ、そして今のままでしょうがない、といった具合です。

『「利他」とは何か』の中で、國分功一郎氏は哲学者アンナ・アレントの思想を引用し、「意思は何ごとにも先行されない純粋な出発点と見なされます。これは言い換えれば、本当は遡れるはずの因果関係を意思の概念によって切断しているということです」と述べています。この一説から私は、意思こそが現状維持バイアスを破壊できる唯一の手段であると理解しました。そして、その意思を形にしたのが本書で採り上げた「高知県産業振興計画」なのです。つまり、これまで繰り返してきた因果の連鎖を断ち切り、新たなる未来の出発点を明確に構築したということです。

明確な「計画」が身近なところに姿を見せるようになると、少し時間は掛かりますが、因果の連鎖が断ち切られることで、やがて現状維持バイアスはフェードアウトしていきます。もっと言えば、現状維持バイアスを持っている方々に「計画」を策定してもらうことはきっぱり諦めて、変革の意思をもった方々が「計画」をつくり、現状維持バイアスを持つ方々にその策定した「計画」を常に意識してもらうよう環境を整えていく、そしてそれを不断にやり続ける。これが具体的な方法です。

Q3　住民を巻き込むにはどのような進め方が有効ですか？

まずは現状に危機感を有する同志を探して下さい。その中から、発信力のある方々を中核のリーダーとして定め、議論の場に参加してもらうようにすることがお勧めです。

産業界や経済界等の団体の長が一般的に議論の場に参加するのですが、彼らの役割は団体の全体最適を常に考えることですから、変革の意見には反対の立場をとることが一般的です。

一方、最近、自治体が主催する議論の場においては、男女比率（ジェンダーバランス）や年齢構成の多様性が求められています。団体の長は高齢の男性が中心である場合が一般的ですので、バランスを取るためには現状に危機感を持つ女性を中心に、その議論の場に参画していただく環境を整備する必要があります。同志となってくれる女性のリーダー的な方々が身近にいれば、住民を巻き込んでいく中核に座っていただくことができると思いますので、自治体指名の委員としてどんどん参加していただくとよいでしょう。

もう一方で、具体的な計画を策定する際に、県庁や役場の近隣のみで議論が繰り返されていることが多いのですが、これでは周辺地域への波及はありません。必ず、その議論の場を周辺地域においても設定することが求められます。

高知県産業振興計画では県内を7つのブロックに分けて、そこでのアクションプランの策定を目的に、各ブロックごとで議論を重ねていきました。ここでの議論が全体に反映されることを「見える化」できれば、参画する住民のやりがいと一体感が増していくということになります。まさにこれが「巻き込む」力です。

高知県産業振興計画において、明確なキャッチコピーとなった「地産外商」という言葉も、高知県四万十市で活躍されている女性リーダーの声を尾﨑知事が上手くキャッチして、その後の計画を実行する段階での明確なフラッグシップとして活用されたものです。このような事例が、その後の住民を巻き込む原動力になっていったのは間違いありません。

Q４　住民を巻き込むとして、人口のどれくらいの割合を巻き込んでいけばその後上手く回っていくのでしょうか？

高知県の場合、策定において２千人弱の方々が参加したと言われています。当時の高知県人口は70万人強ですから、約0.3％の割合です。ただし、その後の第１期３年間では毎年新規にそれ以上の方々を実行の段階で巻き込んでいます。したがって全くの推定ですが、人口の１％以上の参画があったと見積もることができます。それ以降の２期、３期の各４年は指数関数的に参加する人口は増えていきましたので、まずは人口の１％を目標にしてみるのが一つの目安ではないでしょうか。

計画が完成して「実行元年」に当たる平成21年の７月段階で、県民の計画認知度が８割を超えています。この認知度からスタートしているわけですから、策定段階からいかに県民に向けて効果的な発信を心掛けていたか想像できるでしょう。

その高い認知度に支えられ、多くの県民がその後プレーヤーとして巻き込まれ、さらに巻き込む側として活躍されたのです。策定プロセスの見える化にも力を注いでいくことをお勧めします。

Q5　計画を実行する際に高知県では、かなりキメの細かい行き届いた支援を人的にも財政的にも講じたようですが、行き届き過ぎると住民や事業者の主体性が失われませんか？

さじ加減は大変重要です。まず、行政的な支援は明確な「肩入れ型」で、やる気のある事業者等や住民に限定するというのが重要です。行政の支援が行き届き過ぎると、「次は何をしてくれるのですか」という受け身のスタンスが強まります。そうならないためにも、内発的に自らの意思を推進力として、目標を達成する「やる気」をどんどんと生み出していくよう支援していく必要があります。

ちょうどその様子は、ヒナが卵から羽化する瞬間に、親鳥が外からそれを手助けする「啐啄同時《そったくどうじ》」という言葉で表現するのがピッタリとくるように思います。

自立のスキームはさまざまなパターンがあります。取り組んでいる事業者や住民がどのように自立を目指していけば良いのかを、先行事例としてベンチマーキング（優れた事例を分析して参考にする）することです。この優良事例の共有の場が、高知県の場合、土佐ＭＢＡでの人材育成メニューにおいて設定されています。

いろいろな仕掛けを工夫できると考えますが、人材育成の場において、しばしば見掛ける、中央の非現実的な成功事例を講座の参考とするよりも、身近で身の丈にあった優良事例をお互いに学び合う姿勢があると、とても刺激的で持続可能な姿になると思います。

Q6　計画を始める際に、どこまで長期的なビジョンを描いておく必要がありますか？

前にお話した「夢のループ」を参考にして下さい。

最初に大きな夢が描けるとすべてがスムーズに進む印象がありますが、それをどのように実現していくかを考え始めると、あまりに現状とのギャップが大きすぎて途方に暮れる傾向にあります。

ですから、この「夢のループ」をまずは小さく回して1回転させる、そうすると次はもう少し大きくこのサイクルを回してみたくなります。結果的に自分の実績である「結果」から手の届く「夢」の姿を描くことができるようになります。スパイラルアップしていくというイメージでしょうか。

まずは現実的な目標とともに、計画を具体化してみて下さい。「アジャイル型」です。

Q７　LXを推進していく上で、リーダーの役割と備えておくべき資質を教えてください。

LXの肝は、現状を変革するリーダーの存在です。リーダーなくしてLXは進みません。期待されるリーダーは、やはり現状に最大の危機感を持っていること、そしてその危機を乗り越えるため変革に向けての覚悟を持ち合わせていること、が必須です。その覚悟をエネルギーとして「夢のループ」を回すことで、改善の具体的成功事例を積み上げていきます。常にそのループが回り続けていることをチェックしながら、もし滞っているところがあれば、間髪入れずに改善を図っていくことがリーダーの役割でしょう。

さらに一旦策定すれば、その計画を自分の子供のように愛着を持って、大切に、さらに大きく成長させることを願い続けることです。この熱量が「当事者」として極めて重要です。巻き込む力とともに継続していく原動力になるからです。

私の経験から言うと、計画は策定するよりも維持する方が格段に大きなエネルギーが必要なようです。そのエネルギーの多くはリーダーの熱量に掛かっています。

高知県産業振興計画における尾﨑知事をリーダーのモデルとして、対談の中で紹介されている、副知事から見たリーダーの姿を参考にしてみてはいかがでしょうか。

Q8　計画の実施期間はどのように設定すればよいのですか？

高知県産業振興計画は、知事の任期に合わせた目標期間で推進しています。ただし首長の任期であれば4年区切りですべて推進していかなければならず、それよりも長期的な視点で進めていかなければならない施策についてはなかなかチャレンジし難く、目に見える成果が得られ難いということがあります。

そこで全体のフォローアップを担っていた私としては、4年を超える計画期間を設けて10年間のＫＰＩを設定することを進言しました。もちろん知事の任期は超えるのですが、どなたが知事になったとしても、この期間とその間のＫＰＩをやり抜くべきという県民の総意があれば、任期を超える議論があっても何も気にすることはないと考えたからです。

この進言を受け入れられた尾﨑知事の英断は、その後、濱田知事に県政のかじ取りが変わったにもかかわらず、見事にそのままこの計画が継承されていることから見ても、正解であったと考えます。

Q9　計画に盛り込むさまざまな施策について重みを置く必要があると思うのですが、多くの方を巻き込むと結果的に総花的な計画に落ち着くことになりませんか？

確かにその傾向は否めません。高知県産業振興計画でも、全ての産業分野、そして地域での議論を経て策定しましたので、総花的な印象はあったと思います。

しかしながら重点を置く分野、例えば食品産業の振興などを具体的に示すことで、何を優先的に手掛けていくのか、シンボリックに表現していました。また毎年のフォローアップにおいて、改善を図り、新たな重点項目として追加する事業を議論・実施することで、向かうべき方向が示されていきました。

一方で、この「重点化」が他の事業の「切り捨て」につながってはいけません。産業振興と両立しなければならない「健康」「福祉」、そして「介護」や「子育て」などの課題も、平成27年度から始まった「高知県まち・ひと・しごと創生総合戦略」の中にしっかりと位置づけながらバランスを取っていきました。メリハリを付けながら切り捨てはしない、明確なスタンスが求められます。

Q10　LXを推進する上で、予算の確保は重要だと思います。計画策定において予算が確保されていないケースや、さらに大学や産業界を巻き込もうにも連携の原資がないという状況をどのように克服していけばよいのでしょうか？

重要な問題です。予算を確保できなければ何も始められないということですが、地域の誰もが納得し、その価値を共有できる計画をまず立てるところから始めましょう。みんなが納得し、そのうねりが議会を構成する議員の先生方にも伝われば、自主財源で予算化できる可能性も見えてくるでしょう。

予算の獲得については、国の補助金などの支援メニューをあらかじめ探しておくのも有効です。現在、国は「地方創生」に関する予算を充実させています。地域から発案された意欲的な提案には何かの支援メニューが必ず用意されているはずと考えて、徹底的に調べてみて下さい。

その際に、策定した計画を丸ごと支援してもらうというスタンスではなく、その計画を細切れにして、項目ごとにマッチングする補助金を活用するという考え方で臨んでください。スモールスタート、一点突破、全面展開していく戦略をお勧めします。

最後にもう一言。予算の確保は重要ですが、時にそのことばかりに軸足が移りすぎ、予算獲得が目的化することがあります。その場合、予算を確保した段階で目的達成となりますので、肝心のＬＸによる地域の持続可能性が忘れ去られてしまいます。くれぐれもご注意を。

Ｑ11　計画を実施する上で、行政の縦割りが障害になりませんか？

極めて重要な質問です。基本的に計画策定の段階では、行政の縦割りに基づき、自らがこれまでに計画してきた担当部署の内容を挙げてくることになります。これはこれでいいのですが、その計画の内容は通常は議会を含めてコンセンサスを得ている内容ではあっても、プロダクト・アウトで外からの視点はあまり入っていないのが現状です。行政内でも、他の部局の計画に口出しはできず、連携したり、重複が認められる内容も散見されるのが一般的ではないでしょうか。

高知県産業振興計画では、策定の段階から行政以外の各界の代表者が自由に意見を述べ合い、今後の高知県の未来を描いていく上で必要な施策を盛り込んでいきました。さらに産業間連携という特別なテーマで、部局の壁を越えた従来では必要であることは分かっていてもなかなか実行に移せなかった施策について徹底的に議論するとともに、計画の中に盛り込んでいくことになったのです。

想像ができると思いますが、策定の段階では連携テーマは部局横断としても、実行段階での部隊が明確化されていません。だれが担うのか、が課題になるわけです。尾崎知事はこれに対して、連携テーマを担当し、産業振興計画全般を所掌する新たな部局である「産業振興推進部」を平成21年度から立ち上げました。100名を超える部局で、その立ち上げの経緯や役割は２章の対談で岩城さんのお話にある通りです。尾崎知事の「実行元年」や「本気で実行」というキャッチコピーが画餅《がべい》ではなく、本当にやるんだという力強いメッセージとして形にされたわけです。

この質問の回答に戻りますと、縦割りを打破するために、連携でのシナジーを生み出す部局を立ち上げ、これまでの縦割りに横ぐしを刺すことで、旧来の弊害を取り除くことが効果的ということです。

現在も、この産業振興推進部が部局横断で計画のＰＤＣＡを回しています。連携をすべて担うとなれば、もはや旧来の押し付け合いは見られなくなると言えます。

Ｑ12　フォローアップの体制構築は重要であると思いますが、毎年の繰り返しでマンネリ化しませんか？

もしリーダーや行政の責任者らが改善策を立案できなくなったら陳腐化は避けられないかもしれません。現に、県よりも小さな単位で展開している市の産業振興計画は

若干その傾向が出ているように思われます。

問題は、ＰＤＣＡのＡ（改善）にあります。その改善策が見つからないとすれば、何が原因として横たわっているかを冷静に分析する必要があります。

例えば「農業の担い手を新たに何人確保する」というＫＰＩに対して、その支援策として「新規就農者に対する補助事業を何件実施する」としていたとします。ところが、目標の補助事業が全く実施されていないとすると、その原因が対象者への周知の不足にあるのか、対象者から見てその補助内容が魅力的でないのか、そもそも対象者自体が地域内に存在していないのかなど、ニーズの側から明らかにしなければなりません。とにかく目標に到達しなかったから、根性論で「頑張ります」というような対応では話になりませんし、対象がいないのにもかかわらず周知に重点を移すなどは砂漠に水を撒くのと同じです。

このような改善に向けた原因の追究に客観的な分析を行う必要性が理解されれば、その後の対応に関する根本的な議論の必要性や時間軸の見直しなど、新たな展開も見えてきます。行政ではＥＢＰＭ(Evidence-based Policy Making：エビデンスに基づく政策立案)という視点が重要視されていますが、この改善のプロセスはそこへの入り口にもつながるものと考えられます。

改善策が出てこないところからが勝負です。なぜ上手くいかないのかを徹底的に考えて、その解決策を見出すことが計画のそもそもの目的である、と認識して下さい。

Q13　事業者を巻き込む上で、産業界の関与をどのように図っていくことが有効と考えられますか？

事業者としては小規模な零細事業者から、中小企業、そして大企業まで、地域内には多様なプレーヤーが存在しています。その多様なプレーヤーを一律に捉えて行政主導の計画に参加してもらうことは実際不可能です。ただ、地域の事業者が規模の面からは多様でも、共通の課題があるとすれば、そこに計画の面から支援体制を構築することは可能です。

高知県産業振興計画では、その共通の課題が人材の育成でした。都会のように通勤途中でビジネススクールに通うチャンスが全くなく、社員の成長に求められる人材育成のプラットフォームが求められることがニーズとして浮かび上がりました。そこで土佐ＭＢＡというビジネススクールを計画の中で企画し、長期間にわたり運営しているのです。

これとは別にもう一つの共通する課題として、「中期経営計画」などの事業戦略を明確に持っていない事業者が多いことも課題として挙げられました。経営的に余裕がないために、中長期の未来が描けていない、したがって現時点で未来に向かって何にどれくらい投資しておかなければならないかが見通せていない、ということです。

これに対して計画の中で、多様な事業者に対して、事業戦略の立案に向けた人的補助を進めています。ここには県の外郭である（公財）高知県産業振興センター、地域の金融機関、大学なども連携してチームを構成して指導に入っています。

この事業戦略のＰＤＣＡを通じて、産業振興計画が具体的にどのように各企業を支援できるのかが明確になり、新たな支援メニューの企画立案へとつながっていくのです。このように連携が深まると完全に巻き込みには成功したと言うことができます。

Q14　産業振興計画における高等教育機関の役割について教えて下さい。

まず、計画策定からフォローアップに至るまで、大学の地域連携担当責任者がその中心に座ったというところから連携の物語が始まります。

一般的に、行政の審議会や委員会には、大学関係者は有識者として参加します。これは行政側が有識者としてその専門家の立場から、自由にかつ客観的な視点で発言願いたいと考えているからです。その結果、有識者としては自らが所属する高等教育機関の了解を得たり、確認をすることなく自由に発言するわけですが、その結果、大学本体との関りを一切持てない状況で終わります。

私は自ら有識者というよりも高知大学や県内の高等教育機関の一員として、常に自分は、あるいは地元の高等教育機関はどう振る舞うべきかを考えてきました。その結果、高知県産業振興計画に高知大学農学部としてコミットしていく態勢をパブリックコメントの発出を通じてアレンジしました。その後の土佐ＦＢＣやＣＯＣ、ＣＯＣ＋事業、さらにはＩｏＰプロジェクトを企画・実施した際も、高等教育機関との連携をできる限りコーディネートすることで高等教育機関としての役割を徹底的に果たしていくことを意識したのです。

ここに至る背景として、高知大学が法人化されて以来、相良祐輔元学長、脇口宏前学長、櫻井克年現学長の力強いリーダーシップの旗頭の下、「地域の大学」を目指すことを標榜されていたことが挙げられます。大学として、そのミッションを実現することで、常に組織の価値を最大化しようと考えていたのです。

この精神は大学として多くの教職員に受け継がれていることから、今後も有識者としての参画を前提にしながらも、私たちは常に大学という高等教育機関の存在価値を総体として最大化できるよう努力していきたいと考えています。

Q15　自治体と大学との連携についてうかがいます。県は一つですが、同じ都道府県には大学が複数あります。それぞれの大学がその個性を活かしながらまとまっていくコツがあれば教えて下さい。

大学は国立や公立、私立といった設置形態により、その目指す目的が異なっています。まずは、自治体との連携がそれぞれの組織の有する目的と符合するのかどうかが重要です。残念ながら自治体との連携に対して、目的の面から重きを置いていないとなると、自治体としてはあまり過度な期待をすべきではないでしょう。一方、その組織が地域への貢献を目指しており（全面的あるいは部分的にでも）、その手段として自治体との連携を必要とする立場にある場合は、迷うことなく自治体側から具体的な連携の内容と、何を期待しているのかを明示・提案すべきと考えます。自治体と大学との連携でしばしば認められるパターンは、自治体の要望が具体的でないために、連携が実効性をもたないケースです。

さて、質問への回答ですが、自治体側は思いっきり自らを主語として、大学を使い倒すというスタンスでいることが重要です。大学組織単体が自治体の期待する内容にフルセットで対応できることはほとんど考えられませんので、ある大学の弱い所を別の大学の連携で補い、自らの目的を最も効果的に実現できるよう結果的に複数大学との連携を図ることです。この枠組みの中で複数大学が連携しているパターンは、質問にある「それぞれの大学がその個性を活かしながらまとまっている」状況です。大学が主体となっていないことに留意して下さい。

現在、文科省が働き掛け、各地域に「地域連携プラットフォーム」を構築することを推奨しています。複数大学が主体となり、対象の地域に対してそれらの大学が積極的な連携と求められる役割を果たすという趣旨です。私の上記お答えとの違いは、主語としての主体の違いにあります。この「地域連携プラットフォーム」が奏功するかどうかは、そこに関与する自治体の主体性に依存すると考えます。大学の主体が強く出すぎると、複数組織でのまとまりは期待できなくなるのではないかと想像します。

Q16　コロナ禍にあって町づくりの協議が対面で開催されにくくなっています。リモートでの開催は地域の連携を得にくいように感じるのですが、お勧めの方法がありましたら教えてください。

コロナの影響は大きいですね。やはり身近な地域の協議は対面で進めたいところですが、感染が拡大しているような状況ではリモートに頼らざるを得ないと思います。すでに面識のあるメンバーが中心になるようでしたら、リモート方式でも十分に議論はできると思います。まずはリモート方式の開催にチャレンジし、参加メンバーに慣れていただくようトライしてみて下さい。

リモートは発言の機会がなかなかつかみ難いものです。その特性に配慮して、順番に参加メンバー全員に発言していただく機会を設けるよう工夫してみてはいかがでしょうか。うまく進行役がファシリテートできれば、積極的な発言を引き出すことも可能です。

リモートの場合にお勧めできるもう一つの方法は、事前に資料に目を通していただいた上で、あらかじめいくつかのポイントにメールで意見を出していただく方法です。特に議論するポイントとなる事項について、「賛成」なのか「反対」なのか、そしてその理由と「対案」を事前にメールで提出してもらい、メンバー間で共有しておきます。そして当日は直接本人から補足的に説明していただくと場が盛り上がります。当然、事前に参加メンバーが検討する十分な時間を確保しておかなければなりませんが、リモート特有の発言しにくい雰囲気は改善できると思います。

リモート方式に慣れた上で、コロナの感染状況を睨《にら》みながら、時に対面方式も加えてみて下さい。おそらくほとんどのメンバーが対面の持つコミュニケーションのスムーズさや、お互いの表情の豊かさ、そして場の空気感などすべての面において、対面方式の素晴らしさを実感するはずです。その対面の価値を再認識したメンバー間ではさらに共感の環が拡がっていくことでしょう。

私の経験から言って、対面とリモートを混ぜるハイブリッド方式はあまりお勧めではありません。当然のことながら、対面の共感をリモート参加のメンバーは感じることができないからです。リモート参加のメンバーはしばしば何とも言えない疎外感を味わうことになり、一体感が得られないばかりか、完全リモート方式に切り替えられても参加されないようになることが多いようです。

リモート方式で県民運動を展開した事例はまだないと思います。その実現を目指すこと自体を今後のＬＸのテーマとしたいと思います。制約が多いリモート方式ですが、一方でリモートには対象に制約がないというメリットがあります。地域を限定した参加者のみならず、一気に全国、さらにはグローバルに対象を拡げることも可能です。そのメリットを活かす戦略をデザインしながら、みんなでＬＸの展開を議論していきたいものです。

■主要参考文献

赤池慎吾、大崎優、岡村健志、梶英樹編著『地域コーディネーションの実践』2019年、晃光書房
伊藤亜紗編、中島岳志、若松英輔、磯﨑憲一郎、國分功一郎『「利他」とは何か』2021年、集英社新書
受田浩之、島村智子、石塚悟史：高知県の地域食材が有する機能性の解明とその検証、臨床化学、47，378-386 (2018).
受田浩之："Super Regional University"を目指す高知大学の次世代地域創造、産学連携学、15(1), 8-16 (2019).
受田浩之："ＩｏＰ(Internet of Plants)"が導く「Next次世代型施設園芸農業」への進化、産学連携学、17(2), 9-21 (2021).
上久保敏『評伝日本の経済思想 下村治』2008年、日本経済評論社
河合雅司：『未来の年表』2017年、講談社
神野直彦『「地域の元気創造」全国市町村長サミット２０１６in石川実施報告書』2016年、総務省地域力創造グループ地域振興室
ダーウィン著・八杉龍一訳『種の起原（上）（下）』1990年、岩波書店
日本経済新聞：大機小機（唯識）、2021年7月16日
野中郁次郎、廣瀬文乃、平田透『実践ソーシャルイノベーション』2014年、千倉書房
関満博、遠山浩『「食」の地域ブランド戦略』2007年、新評論社
野長瀬裕二『地域産業の活性化戦略―イノベーター集積の経済性を求めて』2011年、学文社
馬奈木俊介、池田真也、中村寛樹『新国富論』2016年、岩波書店

おわりに

高知県産業振興計画を通じて始まったローカル・トランスフォーメーション（LX）について述べてきました。「変革」をテーマに、地域が生き残るためには「変化」しなければならないことを強調してきました。改めて、当時の産業振興推進部長と副知事を務められた岩城孝晃さんと対談し、平成20年策定段階からの高知県産業振興計画を振り返りました。

早いもので、あれからもう14年近くになろうとしています。この産業振興計画を力強くリードされた尾﨑正直知事が退任し、岩城副知事も退職されました。最初の策定に携わったメンバーも多くはすでに県庁をご退職されています。

最近、いろいろな方とお話する中で、当時を記憶している方がすっかり少なくなってきているんではないか、だれかがその記録と今だからこそ分かる真の価値について、残しておかなければならないのではないか、という意見を聴く機会が増えてきました。そして、その役割を担えるのは、これまで最も長くそこに関わり続けてきた私しかいないのではないかと背中を押されるようになってしまいました。確かに、その当時の記憶は私の頭の中からも徐々に薄れている印象があります。この後、自分自身が一区切りついてから書き残すことも考えましたが、この記憶が忘却の彼方へ消えてしまう速度も増していることから、今回、このような形で書籍として残させていただくことにしました。

最も力強く背中を押してくれたのが、南の風社・編集者の細迫節夫さんでした。さまざまな構成案を細迫さんと協議しましたが、単に私が記録として書き綴っても動きが感じられないのではないか、ではどんな構成が可能なのかという議論から、岩城さんとの対談を核にして、その具体的な内容をできるだけリアルにお伝えしようという考えに行き着きました。そしてそこに総論的な考察を加え、さらにこの高知県産業振興計画を各地域で実践する読者に対して、実践する上での具体的なアドバイスをQ&Aの形で説明することにしました。ハウツー本として、もっと具体的なステップをお示しすることも考えたのですが、各地域の置かれたそれぞれの特徴は、高知県のその当時とは大きく異なることが想定されます。したがって、あまり具体的に記述することは避け、まずは基本的な考え方をご紹介し、それぞれの地域において、この高知県産業振興計画をカスタマイズしていただくことを目指したのです。

今後各地域で、この事例を参考に試行錯誤が繰り返され、さらに得られた情報が共有されていくことにより、全国でLXのうねりが起こることを期待したいと思います。

企画から出版に至るまで長丁場でしたが終始柔らかく伴走して、このような形で出版まで導いて下さいました細迫さんに心からお礼申し上げます。

本書をまとめるに当たり平成20年から今に至るまでを振り返りながら、私は尾崎正直知事と一緒に仕事をさせていただいたことをとても誇りに思うとともに、大変幸せだったと改めて噛み締めています。高知県産業振興計画という作品に関わることを通じて、リーダーの考え方や姿勢を間近に学ぶことができたこと、そしてその成果が明らかに地域の未来を変えていることを実感できたからです。その学びを礎にして、今後も高知県の持続可能な発展に、そしてその実績を通じた日本の地方創生に、微力ながら貢献していきたいと決意を新たにしています。改めて、尾崎知事に衷心より感謝申し上げます。

本書の第2章で対談をお願いした岩城孝晃副知事には本書の構成の検討から細部に至る校閲にもその労をお取りいただきました。長年の高知県庁でのご奉職に敬意を表しますとともに、本書出版へのお力添えに心からのお礼を申し上げます。

本書をまとめるに当たり、図表や構成については、長年にわたり私の秘書を務めてくれている高知大学の市川幸さんにお世話になりました。日々の私の業務をサポートして、時に叱咤激励し続けてくれる彼女の力なくしては、本書の誕生はなかったものと確信します。この場をお借りして改めて深く感謝申し上げます。

そして、最後にこれまで私の仕事を理解し、常に支えてくれている妻と家族に感謝の気持ちを伝え、筆を置きます。

ありがとうございました。

２０２１年９月

受田　浩之

[著者略歴] 受田 浩之（Ukeda/Hiroyuki）

現職：高知大学 理事（地域・国際・広報・IR 担当）、副学長
メール：hukeda@kochi-u.ac.jp

昭和 35 年（1960 年）北九州市生まれ。
1982 年 3 月九州大学農学部食糧化学工学科卒業、1984 年 3 月九州大学大学院農学研究科修士課程修了、1986 年 7 月同研究科博士課程中途退学、1986 年 8 月九州大学農学部助手、1990 年九州大学（農学博士）、1991 年 4 月高知大学農学部助教授、2004 年 12 月同教授、2005 年 5 月から地域連携推進本部長兼務、また 2005 年 7 月から（旧 地域連携推進センター）現 次世代地域創造センター長、2006 年 4 月から副学長（地域連携）、2018 年 4 月から副学長（地域連携・広報担当）兼務、2015 年 4 月より地域協働学部教授、2019 年 4 月より理事（地域・国際・広報・IR 担当）・副学長。

1991 年～ 1992 年ドイツ国立バイオテクノロジー研究所 (GBF) 客員研究員。1995 年度日本食品科学工学会奨励賞、1998 年度日本分析化学会フローインジェクション分析研究懇談会進歩賞受賞、2008 年度同学術賞受賞。

役員など：日本食品分析学会理事、NPO 法人食と健康を学ぶ会 副理事長、土佐経済同友会 特別会員、日本カツオ学会 副会長、高知カツオ県民会議 会長代理など。

現在、内閣府「地方大学・地域産業創生交付金」事業高知県プロジェクト「“ＩｏＰ（Internet of Plants）”が導く「Next 次世代型施設園芸農業」への進化」事業責任者。内閣府消費者委員会委員長代理、内閣府消費者委員会新開発食品調査部会部会長、内閣府消費者委員会食品表示部会部会長等を務める。

発行日　2021年10月18日
編著者　受田　浩之
発　行　南の風社
〒780-8040　高知市神田東赤坂2607-72
TEL 088-834-1488　FAX 088-834-5783
E-Mail：edit@minaminokaze.co.jp
URL：http://minaminokaze.co.jp/